P9-CSB-678

BESCHERELLE 1

L'art de conjuguer

DICTIONNAIRE DE 12000 VERBES

ÉDITIONS HURTUBISE HMH Ltée
TÉL. 364 0323
7360 bd. Newman
Ville La Salle
Québec H8N 1X2

ISBN 2.89045.913.6

Avertissement

La conjugaison des verbes reste une des principales difficultés de notre langue. Le BESCHERELLE 1 fournit une liste quasi exhaustive des verbes français. Quelques rares verbes désuets ont été abandonnés. En revanche, parmi les centaines de verbes introduits, figurent des verbes relevant des langues de métiers, de la langue argotique...

Comment se fait-il que sept mille entrées représentent douze mille verbes? D'une part, certaines entrées correspondent à plusieurs verbes différents (selon le sens et selon l'origine), p. ex. *appointer, écarter, épater, rembarrer*; d'autre part, les significations de certains verbes se sont parfois développées de manière autonome, p. ex. *entoiler* : fixer quelque chose sur une toile et fixer une toile sur un support. Sont donc comptés les emplois transitifs et les emplois pronominaux qui ne se réduisent pas au sens passif (ce qui serait le cas pour *s'éduquer, s'épousseter* ou *s'exploiter*). Qu'il faille compter plus d'un «verbe» pour *voler* ou *ressortir,* pour *rendre* (et *se rendre*), pour *entraver* (un animal) et *entraver* (comprendre, en argot), cela tombe sous le sens. Si l'on comptait cependant toutes les acceptions distinguées par les bons dictionnaires, on obtiendrait plus de cinquante mille mentions.

Les variantes orthographiques sont signalées, p. ex. *ariser* et *arriser, receper* et *recéper, retercer* et *reterser.*

Comme par le passé, le BESCHERELLE 1 assure une triple fonction. Il offre un **dictionnaire orthographique** des verbes en fin de volume. Il permet de résoudre les problèmes de conjugaison par le renvoi aux **82 tableaux** qui forment la partie centrale de l'ouvrage. Enfin, il présente l'essentiel de la **grammaire du verbe,** qui a été longuement développée dans cette nouvelle édition. Son index préliminaire permet de retrouver rapidement la réponse aux diverses questions sur lesquelles butent la plupart d'entre nous : *accords, participes passés* délicats, notions de *mode, personnes, emploi,* etc.

Puisse donc ce BESCHERELLE 1 contemporain, loin de déconcerter les fidèles usagers du précédent, aider mieux encore que par le passé tous ceux, petits et grands, Français et étrangers, qui veulent maîtriser la conjugaison, y compris dans ses formes rares, et qui ont le souci de s'exprimer avec pureté et correction.

L'Éditeur

Sommaire

Index grammatical

Grammaire du verbe

RAPPELS FONDAMENTAUX

Un verbe se **conjugue.** Sont susceptibles de varier : la personne *(aimes, aimons)*, le temps *(veut, voulut)*, le mode *(envoya, envoyât)* et la voix *(a vendu, s'est vendu, a été vendu)*. Les formes entraînées par ces variations sont présentées systématiquement dans les **tableaux de conjugaison** (pp. 34 à 120).

L'accord selon la personne peut présenter quelques difficultés, qu'il s'agisse de l'accord avec le sujet ou, pour le participe passé et dans certains cas seulement, de l'accord avec l'objet. Le chapitre intitulé **grammaire du verbe** (pp. 5 à 31) se propose d'exposer les règles essentielles qui régissent l'accord du verbe avec le sujet, et surtout l'accord du participe passé.

Le **dictionnaire orthographique** (pp. 121 à 175) donne les verbes sous la forme infinitive et mentionne à leur propos les emplois types ou propres dont voici les caractéristiques :

On appelle **transitif** le verbe employé avec un complément d'objet (= sur lequel s'exerce ou passe l'action du sujet exprimée par le verbe). Lorsque le complément d'objet n'est pas précédé par une préposition, il est dit *direct.* Le verbe est alors indexé T dans le dictionnaire, par ex. : *abolir,* T. Lorsque le complément d'objet est introduit par une préposition, il est dit *indirect.* Dans ce cas, la préposition est indiquée dans le dictionnaire, par ex. : *coopérer,* à.

Tous les verbes ne sont pas transitifs. Certains verbes relient l'attribut au sujet : ce sont les **verbes d'état** ou attributifs, par ex. : *devenir, sembler, rester.*

D'autres verbes expriment à eux seuls l'action complète et peuvent se passer d'autres compléments. Ils sont dits **intransitifs** et indexés I dans le dictionnaire, par ex. : *caracoler,* I.

Le verbe **pronominal** est un verbe qui se conjugue avec un pronom personnel de la même personne que le sujet et désignant le même être que lui.

On distingue les emplois *pronominaux réfléchis* (quand l'être dont il s'agit exerce une action sur lui-même : *je me lève*) et les emplois *pronominaux réciproques* (où les êtres exercent une action les uns sur les autres : *ils se battent*).
Certains verbes sont dits *essentiellement pronominaux* parce qu'ils ne peuvent être employés qu'à la forme pronominale.
Par ex. : *s'abstenir, s'écrier, s'enfuir, s'évanouir,* etc.

La tournure pronominale peut correspondre à un sens passif, l'objet de la tournure active devenant sujet *(tous les verbes s'y trouvent = on y trouve tous les verbes)*. L'emploi pronominal est noté P dans le dictionnaire.
La notation P dans le dictionnaire orthographique indique que le participe du verbe ainsi noté demeure invariable dans les temps composés de son emploi pronominal, par ex. : *succéder,* P.

Certains verbes ont **plusieurs emplois**. Tous les verbes transitifs peuvent, avec l'aide du contexte, être employés seuls, «absolument»; ainsi, *commander,* T, I, P.

Il commande une compagnie / C'est toujours lui qui commande / Il se commande un café.

Tous les verbes transitifs peuvent donner lieu à une construction pronominale à sens passif, par ex. : *vendre,* T, P.

On vend beaucoup de disques.
Ces disques se sont bien vendus.

L'indexation T suffit à le rappeler. Pour d'autres verbes, les divers emplois sont indexés séparément, par ex. : I et T *(aborder),* I et P *(baguenauder),* T et P *(abstraire),* ou I et T et P *(crever).*

A RADICAL ET TERMINAISON DU VERBE

Il y a deux parties dans un verbe : le **radical** et la **terminaison** (ou désinence). La terminaison varie; le radical reste le plus souvent invariable. Cependant, il subit parfois des modifications; par ex. : les variantes *meur(s) / mour(ez)* pour *mourir,* ou bien *pouv(ons) / pourr(ai) / puiss(iez) / peu(x) / pu(s)* pour *pouvoir.* Plus rarement, un verbe très irrégulier, comme *aller,* peut comporter plusieurs radicaux bien distincts : *va(s) / all(ons) / ir(ais).*

Pour trouver le radical d'un verbe, il suffit de retrancher l'une des terminaisons de l'infinitif : **er, ir, oir** et **re**. Ex. : **er** dans *chanter,* **ir** dans *rougir,* etc., radical : *chant, roug.*

B LES TROIS GROUPES DE VERBES

Il y a, en français, trois groupes de verbes, qui se distinguent surtout d'après les terminaisons de l'infinitif, de la première personne de l'indicatif présent et du participe présent.

Le 1er groupe renferme les verbes terminés en **er** à l'infinitif et par **e** à la première personne du présent de l'indicatif : *aimer, j'aime.*

Le 2e groupe renferme les verbes terminés par **ir** et ayant l'indicatif présent en **is** et le participe présent en **issant** : *finir, je finis, finissant.*

Le 3e groupe comprend tous les autres verbes :

- Le verbe *aller.*
- Les verbes en **ir** qui ont le participe présent en **ant**, et non en **issant** : *cueillir, je cueille, cueillant; partir, je pars, partant.*
- Les verbes terminés à l'infinitif en **oir** ou en **re** : *recevoir, rendre.*

REMARQUE

Les verbes nouveaux sont presque tous du 1er groupe : *téléviser, atomiser, radiographier,* etc.; quelques-uns du 2e groupe : *amerrir.*

Le 3e groupe, avec ses quelque 350 verbes, est une conjugaison morte. À la différence des deux premiers groupes, qui sont de type régulier, c'est lui qui compte le plus grand nombre d'exceptions et d'irrégularités de toute la conjugaison française.

Pour les terminaisons propres à ces trois groupes, voir tableau p. 40.

C VERBES DÉFECTIFS

Certains verbes ne sont, dans l'usage courant, employés qu'à certains modes et à certains temps. Ces verbes à la conjugaison incomplète sont dits **verbes défectifs**. Ainsi :
choir, gésir, quérir...

D AUXILIAIRES *AVOIR* ET *ÊTRE*

Les deux verbes *avoir* et *être,* qui servent à conjuguer tous les verbes, sont dits *verbes auxiliaires.*

Se conjuguent avec ***avoir*** : – *avoir* et *être (il a eu, elle a été)* ; – tous les verbes transitifs directs et transitifs indirects ; – un grand nombre de verbes intransitifs ; – la plupart des verbes impersonnels : *il a neigé.*

Se conjuguent avec ***être*** : – tous les verbes employés pronominalement ; – tous les verbes employés à la voix passive ; – quelques verbes employés impersonnellement : *il est tombé des trombes d'eau.*

Avoir et ***être*** peuvent s'employer pour un même verbe selon que l'on veut exprimer une action *(Il a débordé la défense adverse)* ou un état *(La défense adverse est débordée),* ou bien en fonction des différents sens que peut avoir un verbe.

NOTA
Avoir et ***être*** ont aussi un emploi non auxiliaire :
J'ai peur; Elles sont belles.
Sont dits ***semi-auxiliaires*** des verbes comme *aller, devoir, faire, falloir, pouvoir* :
Je dois m'en aller; Il lui faut partir; Elle peut intervenir elle-même.
(Ces semi-auxiliaires précèdent des infinitifs.)

RÈGLES D'ACCORD

A L'ACCORD DU VERBE AVEC LE SUJET

1 Un seul sujet

RÈGLE
Le verbe s'accorde avec son sujet en nombre et en personne :
Pierre est là. Tu arrives. Nous partons. Ils reviendront.

CAS PARTICULIERS

▶ **Qui**, sujet, impose au verbe la personne de son antécédent :
C'est moi qui suis descendu le premier, et non *qui est descendu.* Cependant, après les expressions *le premier qui, le seul qui,* le verbe peut toujours se mettre à la 3e personne :

Tu es le seul qui en sois capable ou *qui en soit capable.*

Il en est de même lorsque l'antécédent de *qui* est un pronom démonstratif :

Je suis celui qui voit (plus usité que : *je suis celui qui vois).*

▶ **Verbes impersonnels.** Toujours au singulier : *il* commande l'accord du verbe, même si le sujet réel est au pluriel :

Il pleuvait des cordes.

▶ **Verbe *être* précédé de *ce*.** Le verbe *être,* précédé de *ce* et suivi de *moi, toi, nous, vous,* se met à la 3e personne du singulier, et l'on doit dire : *c'est moi, c'est toi, c'est nous,* etc.
Suivi de *eux (elles),* ou d'un nom au pluriel, l'usage hésite entre le singulier et le pluriel, l'accord au pluriel, quoique moins courant, étant considéré comme la forme soignée.

▶ **Noms collectifs.** Quand le sujet est un nom singulier du type *foule, multitude, infinité, troupe, groupe, nombre, partie, reste, majorité, dizaine, douzaine,* etc., suivi d'un complément de nom au pluriel, le verbe se met au singulier ou au pluriel selon que l'accent est mis sur l'ensemble ou, au contraire, sur les individus :

Une foule de promeneurs remplissait l'avenue. Bon nombre de spectateurs manifestèrent bruyamment leur enthousiasme.

Adverbes de quantité. Quand le sujet est un adverbe tel que *beaucoup, peu, plus, moins, trop, assez, tant, autant, combien, que,* ou des locutions apparentées : *nombre de, quantité de, la plupart,* que ces mots soient suivis ou non d'un complément, le verbe se met au pluriel, à moins que le complément ne soit au singulier :

> *Beaucoup de candidats se présentèrent au concours, mais combien ont échoué!*
> *Peu de monde était venu.*

REMARQUE

Le peu de veut, selon la nuance de sens, le singulier ou le pluriel : *Le peu d'efforts qu'il fait explique ses échecs* (= la quantité insuffisante d'efforts).

> *Le peu de mois qu'il vient de passer à la campagne lui ont fait beaucoup de bien* (= les quelques mois).

Plus d'un veut paradoxalement le singulier, alors que *moins de deux* veut le pluriel :

> *Plus d'un le regrette et pourtant moins de deux semaines seulement se sont écoulées depuis son départ.*

Un(e) des... qui veut généralement le pluriel, mais c'est le sens qui décide si le véritable antécédent de *qui* est le pronom indéfini *un*, et alors le verbe se met au singulier, ou si c'est le complément partitif, et alors le verbe se met au pluriel :

> *C'est un des écrivains de la nouvelle école qui a obtenu le prix.*
> *C'est un des rares romans intéressants qui aient paru cette année.*

Fraction et pourcentage. Quand le sujet est une fraction complétée par un nom, le sens décide si l'accord se fait avec la fraction ou avec son complément :

> *La moitié des députés vota* (ou *votèrent) le projet de loi.*

Si le sujet est un pourcentage complété par un nom, l'accord est toujours possible avec l'expression de pourcentage, considérée comme un masculin pluriel :

> *43 % de la récolte ont été perdus;*
> *32 pour cent de l'électorat avaient voté avant midi.*

Cependant, comme on peut légitimement hésiter, il n'est pas interdit d'opter pour l'accord avec le complément :

> *43 % de la récolte a été perdue;*
> *32 pour cent de l'électorat avait voté avant midi.*

REMARQUE
Lorsque la fraction est exprimée par un terme singulier comme *quart, tiers* ou *moitié,* on peut appliquer la règle suivante : accord avec ce terme s'il a une valeur précise (*La moitié des coureurs a terminé dans les délais* : par ex. : quarante-deux cyclistes sur quatre-vingt-quatre, très exactement, ont rempli la condition), ou bien accord avec le complément si le terme de quantité ne donne qu'une indication approximative *(La moitié des coureurs ont terminé dans les délais).*
On peut toutefois préférer l'accord avec le complément en toutes circonstances, notamment si l'accord sur *moitié* risque de donner un sens grotesque, laissant à penser, par exemple, que des individus ont été coupés en deux.

Titres d'œuvres. Lorsque le sujet est un titre d'œuvre (de livre, de film, de pièce de théâtre, de sculpture...), l'accord se fait d'ordinaire au singulier. Par ex. : Les Misérables *est une œuvre admirable*; Les Enfants du paradis *est un film de Marcel Carné* (et non «sont une œuvre», «sont un film»), etc. Toutefois, avec d'autres constructions, le pluriel est aussi usité : Les Plaideurs *ont été joués trente fois, ce mois-ci;* Les Trois Mousquetaires *ont été portés quatre fois à l'écran...* (Mais l'on évitera des accords donnant un sens risible : Les Deux Orphelines *sont plus épaisses que* Les Trois Mousquetaires!)

2 Plusieurs sujets

RÈGLE
S'il y a plusieurs sujets, et même si chacun d'eux est un singulier, le verbe, sauf cas particulier, se met au pluriel :

Mon père et mon oncle chassaient souvent ensemble.
Chaque homme, chaque femme, pourra se présenter au concours.

Si les sujets sont de différentes personnes, la 2e l'emporte sur la 3e, et la 1re sur les deux autres :

François et toi êtes en bons termes.
François et moi sommes en bons termes.
François, toi et moi sommes tous trois natifs de Versailles.

Si les sujets sont de genres différents, l'accord du participe passé (comme pour les adjectifs) se fait au masculin pluriel :

Ma nièce et mon cousin sont venus.
Hommes et bêtes sont effrayés par ce violent orage.

CAS PARTICULIERS

1 Sujets coordonnés

par **et**. *L'un et l'autre* veut le pluriel, mais le singulier est correct : *L'un et l'autre se disent*; ou, moins couramment, *se dit*. Dans l'emploi pronominal du verbe qui suit, le pluriel est plus usuel :

L'un et l'autre se sont battus comme des lions.

par **ou**, par **ni**. Le verbe se met au singulier si les sujets s'excluent :

La crainte ou l'orgueil l'a paralysé.
Ni l'un ni l'autre n'emportera le prix.

par **comme**, **ainsi que**, **avec**, **aussi bien que**, **de même que**, **autant que**... Le verbe se met au pluriel si ces mots équivalent à *et* :

Le latin comme le grec sont des langues anciennes.
Jean avec Marie menaient la danse.

Le verbe se met au singulier lorsque les termes de coordination et les mots qu'ils introduisent sont placés en incise, entre virgules :

Marseille, autant que Paris, est une ville cosmopolite.
Le latin, comme le grec, possède des déclinaisons.

Car alors il n'y a plus addition, mais comparaison.

2 Sujets juxtaposés ou coordonnés

Désignant un être unique ou une même chose : le verbe se met au singulier :

C'est l'année où mourut mon oncle et mon tuteur (= mon oncle, qui était aussi mon tuteur).

Formant une gradation de termes qui expriment différentes nuances ou intensités d'un sentiment, d'une qualité, etc. : le verbe reste au singulier :

L'irritation, le courroux, la rage avait envahi son cœur.

En revanche, le verbe se met au pluriel avec d'apparentes gradations, qui sont plutôt, de par le sens, des additions :

La commune, le département, la région, le pays vantent les mérites du «grand homme».

(On hésiterait à écrire : *La commune, le département, la région, le pays est fier du «grand homme».*)
Synonymes (termes au singulier juxtaposés) : le verbe reste au singulier :

Un meurtre, un assassinat, est un crime atroce.

Résumés par un mot qui constitue le dernier sujet : le verbe s'accorde avec ce mot (généralement : *aucun, chacun, nul, personne, rien, tout, tous...*) :

Femmes, moine, duc, tous étaient descendus de la berline. Cris, pétards, sonneries de clairon, rien ne réveille Hector!

B L'ACCORD DU PARTICIPE PASSÉ

RÈGLE
Le participe passé employé sans auxiliaire s'accorde avec le nom (ou pronom) auquel il se rapporte comme un simple adjectif :

L'année passée. Des fleurs écloses. Vérification faite.

1 Participe passé employé sans auxiliaire

Attendu, y compris, non compris, excepté, passé, supposé, vu, etc.

- Placés devant le nom (ou le pronom), ils sont invariables :

  Excepté les petits enfants, toute la population de l'île fut massacrée; excepté vous, tout le monde est resté, y compris les personnes âgées. (= car assimilés à des prépositions)

- Placés après le nom, ils sont sentis comme de vrais participes adjectivés et s'accordent : *les petits enfants exceptés...*

REMARQUE
Placé en tête de phrases le plus souvent exclamatives, *fini* s'accorde, généralement : *Finis les soucis! Finie la comédie!* – mais peut aussi cependant demeurer invariable *(Fini les beaux jours!).* Dans l'expression *fini de...,* il y a toujours invariabilité, car c'est une ellipse pour *«c'en est fini de...»* : *Fini des «p'tits boulots»!*

- *Étant donné* placé en tête peut s'accorder ou rester invariable :

  Étant donné les circonstances ou *étant données les circonstances.* Mais on dira toujours : *Les circonstances étant données...*

• *Ci-joint, ci-inclus,* etc., sont invariables en tête de phrase ou devant un nom sans déterminant (article, adjectif possessif, démonstratif ou numéral) :

Ci-inclus la quittance. Ci-joint la copie de la lettre.

Après un nom, véritables participes adjectivés, ils s'accordent :

Vous voudrez bien acquitter la facture ci-jointe.

L'usage courant contemporain prône l'accord quand ils précèdent un nom accompagné d'un déterminant (article, adjectif possessif, démonstratif ou numéral) :

Vous trouverez ci-incluse la lettre du sénateur.
Veuillez trouver ici, ci-jointe, la photocopie du document.

2 Participe passé employé avec l'auxiliaire *être*

RÈGLE
Le participe passé conjugué avec l'auxiliaire *être* s'accorde en genre et en nombre avec le sujet du verbe :

Ces fables seront lues à haute voix.
Nous étions venus en toute hâte. Tant de sottises ont été faites.

Cette règle vaut pour tous les temps de tous les verbes à la forme passive et pour les temps composés de quelques verbes intransitifs à la forme active *(aller, arriver, mourir, naître, partir, venir...)* ou d'autres employés à la tournure intransitive *(descendre, entrer, monter).*

3 Participe passé employé avec l'auxiliaire *avoir*

RÈGLE
Le participe passé conjugué avec l'auxiliaire *avoir* s'accorde en genre et en nombre avec le complément d'objet direct placé avant le verbe. S'il n'y a pas de complément d'objet direct, ou si le complément d'objet direct est placé après le verbe, le participe passé reste invariable :

Je n'aurais jamais fait les sottises qu'il a faites.
As-tu lu les journaux? Je les ai bien lus. J'ai lu trop vite.

Cette règle vaut pour les temps composés de tous les verbes à la forme active, à part quelques verbes intransitifs signalés comme se conjuguant avec *être.*

REMARQUE
Aux temps surcomposés, seul le dernier participe passé varie : *Merci de vos nouvelles! Dès que je les ai eu reçues...*

CAS PARTICULIERS

1 Participes conjugués avec *être*

Verbes pronominaux

a. Le participe passé des **verbes essentiellement pronominaux** (dans lesquels le pronom réfléchi n'a pas de fonction analysable, par ex. *s'absenter, s'écrier, s'enfuir, s'évanouir, s'extasier, se rebeller, se repentir...)* se conjugue avec l'auxiliaire *être* et s'accorde tout à fait normalement avec le sujet :

Les paysans se sont souvenus de la sécheresse de l'été 1976.

S'arroger est l'unique exception au sein des verbes essentiellement pronominaux : son participe passé s'accorde comme s'il était conjugué avec *avoir* :

Ils se sont arrogé des droits.
Les prérogatives qu'ils se sont arrogées
(accord avec le complément d'objet direct, *prérogatives,* qui précède le verbe).

b. Le participe passé des **verbes pronominaux à sens passif** (voir p. 7) se conjugue également avec *être* et s'accorde avec le sujet :

L'an passé, les foins s'étaient fauchés très tard.

c. Le participe passé de **certains verbes intransitifs employés pronominalement** *(se complaire, se nuire, se parler, se plaire, se rire, se succéder...)* est toujours invariable (puisque ces verbes ne peuvent admettre de compléments d'objet direct) :

Elle s'est plu à la montagne.
Elles se sont ri de lui.
Ils se sont parlé des heures entières.
Les deux fiancés pressentis se sont plu.
Ces trois frères se sont succédé sur le trône impérial
(= ont succédé à eux).
Ils se sont nui
(ils ont nui à eux-mêmes, ou nui les uns aux autres; *se* est complément d'objet indirect : pas d'accord).

d. Pour les emplois **réfléchis** ou **réciproques** (cf. p. 7), l'auxiliaire *être* étant mis pour *avoir*, le participe passé s'accorde comme s'il était conjugué avec *avoir*, c'est-à-dire avec le complément d'objet direct placé avant :

La jeune fille s'est regardée dans son miroir
(elle a regardé elle-même).
Les deux amis se sont regardés longuement avant de se séparer
(= ils se sont regardés mutuellement).
La question qu'il s'est posée (il a posé la question à lui-même).

RÈGLE
Toutes les fois que dans un verbe pronominal on peut remplacer l'auxiliaire *être* par l'auxiliaire *avoir*, on doit accorder le participe passé avec le complément d'objet direct s'il est placé avant (le plus souvent le pronom réfléchi, mais pas toujours) :

Ils se sont lavés à l'eau froide
(ils ont lavé eux-mêmes : accord avec *se*).
La soupe qu'il s'est préparée (il a préparé la soupe : accord avec *que*, dont l'antécédent est *soupe*).

Mais, s'il n'y a pas de complément d'objet direct, ou si celui-ci est placé après le verbe, le participe passé reste invariable :

Ils se sont lavé les mains
(ils ont lavé les mains à eux-mêmes; le complément d'objet direct, *mains*, est placé après le verbe : pas d'accord).
Il s'est préparé la soupe
(il a préparé la soupe à lui-même; le complément d'objet direct, *soupe*, est placé après le verbe : pas d'accord).

2 Participes conjugués avec *avoir*

Le COD est **en**, **l'**, **une foule de**...

a. Le pronom adverbial *en*, signifiant *de lui, d'elle, d'eux, d'elles, de cela* (c'est-à-dire ayant un sens «partitif»). La règle généralement admise est de ne pas accorder le participe puisque *en* n'est pas alors, à proprement parler, un complément d'objet direct :

Une bouteille de liqueur traînait par là : ils en ont bu.
Des nouvelles de mon frère? Je n'en ai pas reçu depuis fort longtemps.

Lorsque *en* est associé à un adverbe de quantité tel que *combien, tant, plus, moins, beaucoup,* etc., les règles sont si contestées que le parti le plus sage est de laisser le participe toujours invariable :

Des truites? Il en a tant pris! Pas autant cependant qu'il en a manqué.
Combien en a-t-on vu, je dis des plus huppés. (Racine)
J'en ai tant vu, des rois. (V. Hugo)

REMARQUE
Il ne faut pas confondre *en,* pronom à valeur partitive, avec un adverbe de lieu : *Je dois retourner à ma banque, car les sommes que j'en ai retirées sont insuffisantes* (*en* a le sens de *là,* de *de la banque,* et n'empêche pas l'accord du participe passé *retirées* avec son complément d'objet direct *que* – placé avant – qui a pour antécédent *sommes*).

b. Le pronom personnel *l'.* Quand il a le sens de *cela* et représente toute une proposition, le participe passé reste invariable.

Cette équipe s'est adjugé facilement la victoire, comme je l'avais pressenti.

Mais, lorsque *l'* tient la place d'un nom féminin, le participe s'accorde normalement :

Cette victoire, je l'avais pressentie.

c. Un nom collectif suivi d'un complément au pluriel *(une foule de gens),* un adverbe de quantité *(combien de gens),* les locutions *le peu de, un des... qui, plus d'un, moins de deux,* une fraction, un pourcentage. Il y a lieu, pour l'accord du participe passé, d'observer les mêmes règles qui régissent l'accord du verbe lorsque ces expressions sont sujet (voir p. 10).

Verbes tantôt transitifs, tantôt intransitifs

Les millions que cette maison a coûté
(elle a coûté combien?), mais :
Les soucis que cette maison a coûtés (elle nous a coûté quoi?).
Les dix kilos que cette valise a pesé (elle a pesé combien?), mais : *Les paroles qu'il a longuement pesées* (il a pesé quoi?).

Il faut veiller à ne pas confondre un complément circonstantiel sans préposition exprimant la valeur, la durée, la distance (*coûter des millions, peser des tonnes...*) avec un complément d'objet direct (*coûter des soucis, peser des paroles...*). Le premier répond à la question *combien*? Alors que le second répond à la question *quoi*?... Ici, comme ailleurs, il y a des cas d'espèce! Et il faut bien faire l'accord :

Les cent mètres que j'ai courus.

s'il s'agit des propos d'un sprinter évoquant les épreuves courues (les cent mètres) dans sa carrière!

Participes passés suivis d'un infinitif (**laissé faire**, etc.)

a. *Vu, regardé, aperçu, attendu, écouté, senti* (verbes de perception), *envoyé, amené, laissé,* suivis d'un infinitif, tantôt s'accordent et tantôt sont invariables.
Si le nom (ou le pronom) qui précède est sujet de l'infinitif, ce nom est senti comme complément d'objet direct du participe, et celui-ci s'accorde :

La pianiste que j'ai entendue jouer. (j'ai entendu qui? – la pianiste faisant l'action de jouer) ; le complément d'objet direct *que,* mis pour *la pianiste,* est placé avant : on accorde.

Si le nom (ou le pronom) qui précède est complément d'objet et non sujet de l'infinitif, le participe reste invariable puisqu'il a comme complément l'infinitif lui-même :

La sonate que j'ai entendu jouer. (j'ai entendu quoi? – jouer; jouer quoi? – la sonate) ; le complément d'objet direct *jouer* est placé après : on n'accorde pas.

Selon cette règle, on écrit donc :

Les arbres que j'ai vus fleurir;
les arbres que j'ai vu abattre.
Il les a laissés courir;
il les a laissé attraper par la gendarmerie.

La règle reste la même si l'infinitif est précédé d'une préposition :

Les acteurs qu'on a empêchés de jouer.
Les acteurs qu'on a empêché de huer.

Le complément d'objet direct est le plus souvent un pronom personnel ou relatif; mais il peut également être un nom précédé d'un adjectif interrogatif ou d'un adverbe de quantité :

Quelle pianiste avez-vous entendue jouer?
Quelle sonate avez-vous entendu jouer?
Combien de symphonies avez-vous entendu jouer?
Que de cantates vous avez entendu chanter!

b. Les participes passés exprimant une opinion *(cru, pensé, reconnu...)* ou une déclaration *(dit, affirmé, supposé...)* suivis d'un infinitif sont toujours invariables :

Il a perdu la bague qu'il m'avait dit lui venir de sa mère.

Et non : *qu'il m'avait dite,* car le complément d'objet direct de *avoir dit* est toute la proposition (il m'avait dit quoi ? – que sa bague lui venait de sa mère).

Cette lettre qu'il avait cru venir de Paris.
Cette voie qu'il avait supposé être la plus courte.

c. *Fait* suivi d'un infinitif est toujours invariable, car il forme avec l'infinitif une expression verbale indissociable :

Les soupçons qu'il a fait naître (*que,* mis pour *soupçons,* est complément d'objet direct de *a fait naître,* et non de *a fait* seul).

d. Pour une raison semblable, *laissé* suivi d'un infinitif, particulièrement dans les locutions *laisser dire, laisser faire, laisser aller,* peut ne pas s'accorder même quand le nom (ou le pronom) qui précède est sujet de l'infinitif :

Quelle indulgence pour ses petits-enfants !
Il les a laissé jouer longuement avec sa montre et il ne les a pas laissé gronder.

On peut, il est vrai, écrire : *il les a laissés jouer avec sa montre* si, détachant le verbe *laisser* du verbe *jouer,* on comprend : *il leur a permis de jouer avec sa montre.* Mais le deuxième participe *laissé* est obligatoirement invariable puisque en aucun cas *les* ne peut être sujet de *gronder.*

e. *Eu à, donné à, laissé à* suivis d'un infinitif s'accordent ou restent invariables, selon que le nom (ou le pronom) qui précède est senti ou non comme le complément d'objet direct du participe :

Les problèmes qu'il a eu à résoudre. (Il a eu à résoudre que : le sens est ici : « il a été tenu de (quoi ? = résoudre) résoudre – il a dû résoudre – les problèmes ».)
Les problèmes qu'il a eus à résoudre. (Il a eu que, c'est-à-dire des problèmes, à résoudre.)
L'auto qu'on lui avait donnée à réparer. (On lui avait donné quoi ? – l'auto en vue d'une réparation.)

Mais ces distinctions sont parfois bien subtiles, et l'accord est facultatif.

f. *Dû, permis, pu, voulu* sont invariables quand leur complément d'objet direct est un infinitif ou toute une proposition sous-entendue :

J'ai fait tous les efforts que j'ai pu (faire), *mais je n'ai pas eu tous les succès qu'il aurait voulu* (que j'eusse).

Ne tolérant pas d'autre emploi, *pu* est toujours invariable.

Participes passés suivis d'un attribut d'objet

Le participe passé s'accorde généralement avec l'attribut d'objet si ce complément d'objet direct précède le participe :

Son négoce l'a rendue opulente.

Mais on hésite légitimement dans d'autres cas. Ainsi :

On les avait crus morts.
Sa voix qu'on eût dite cassée.

où l'on ressent le sens comme étant : «on avait cru qu'ils étaient morts», «on aurait dit que sa voix était cassée»... Dans ces cas controversés, certains grammairiens tolèrent, voire préconisent, l'invariabilité :

Sa voix que l'on eût dit cassée.

Si l'attribut est introduit par *à, comme, de, pour,* le participe passé s'accorde toujours :

Je l'ai choisie comme marraine.
Il les a traités de sots.
Elle les a prises pour martyres.

3 Locutions verbales figées

a. Le participe passé est figé au masculin singulier dans :

Je l'ai échappé belle! (De même que *eu* doit rester invariable dans les temps surcomposés : *Je l'ai eu échappé belle!*)
Il nous l'a baillé belle! Je l'ai manqué belle!

b. Dans l'expression *se faire fort,* employée couramment au sens de «s'engager à», *fort* est adverbial et *fait* reste invariable lui aussi :

Elles s'étaient fait fort de gagner la finale.

Au sens propre, moins usuel – *«s'être endurci»* –, *fort* est adjectif, donc s'accorde, ainsi que *fait* :

Elle s'était faite forte pour affronter le courroux de son père.

QUELQUES PARTICIPES PASSÉS À NOTER

- **aperçu(e)(s)** (elle s'est; ils/elles se sont) : participe toujours accordé avec le sujet à la forme pronominale :

  Ils s'en sont aperçus; elle s'est aperçue de sa bévue.

- **arrogé(e)(s)** : le participe du verbe essentiellement pronominal *s'arroger* ne s'accorde que s'il y a un COD, et à condition que celui-ci précède le verbe :

  Le contremaître s'est arrogé des prérogatives injustifiées; les prérogatives qu'il s'est arrogées.

- **attendu(e)(s)** (elle s'était; ils/elles s'étaient... que) : participe toujours accordé avec le sujet à la forme pronominale :

  Ils s'étaient attendus que cela arriverait un jour; elle s'était attendue au pis dès le premier jour.

- **complu** (elle s'est; ils/elles se sont... à) : participe toujours invariable :

  Il s'est complu à jardiner; Paul et Virginie se sont complu à....

- **convenu** (ils/elles se sont) : participe toujours invariable à la forme pronominale :

  Les deux futurs époux se sont convenu (= ont convenu l'un à l'autre).

- **déplu** (elle s'est; ils/elles se sont) : participe toujours invariable :

  Raymond et Brigitte se sont réciproquement déplu; elle s'est déplu, à la montagne...

- **douté(e)(s)** (elle s'est; ils/elles se sont) : à la forme pronominale, le participe s'accorde toujours avec le sujet :

  Elle s'est doutée du larcin; ils se sont doutés de son erreur.

- **fait** (suivi d'un infinitif) : toujours invariable :

  Elle s'est fait faire deux robes; elles se sont fait poser un dentier; les tartes que l'on a fait cuire au feu de bois.

Le participe *fait* est également invariable dans «se faire fort de» :

Elles s'étaient fait fort d'obtenir un laissez-passer.

Il est également invariable dans une construction impersonnelle :

Les grands froids qu'il a fait.

joué(e)(s) (elle s'est... de; ils/elles se sont... de) : en cet emploi, le participe s'accorde toujours avec le sujet :

Elle s'est jouée de lui; ils se sont joués de l'équipe adverse.

menti (elle s'est; ils/elles se sont) : participe toujours invariable :

Ils se sont menti toute leur vie;
elle s'est menti à elle-même en refusant de voir les réalités.

mépris(e)(es) (elle s'est; elles se sont) : le participe s'accorde toujours avec le sujet :

Elle s'est méprise sur ses intentions;
elles se sont méprises stupidement.

nui (elle s'est; ils/elles se sont) : participe toujours invariable :

En agissant ainsi, elle s'est nui;
les deux chefs de clan se sont nui.

parlé (elle s'est; ils/elles se sont) : participe toujours invariable :

Elle s'est parlé aussi durement que si elle s'était adressée à quelqu'un; ils se sont parlé toute la nuit.

pesé = **pesé(e)(s)(es)** : bien faire la distinction entre un COD → accord (*les cent vingt kilos de confiture que l'épicier a pesés* = a pesé quoi?) et un complément circonstanciel → non-accord (*les soixante kilos qu'elle a pesé lorsqu'elle avait la trentaine* = a pesé combien?).

plu (elle s'est; ils/elles se sont) : participe toujours invariable :

Lucien et Marion se sont plu;
elle s'est plu à le faire enrager.

rendu compte (elle s'est; ils/elles se sont) : participe toujours invariable :

Elles ne se sont rendu compte de rien.

ressemblé (ils/elles se sont) : participe toujours invariable :

Les programmes de ces deux partis ne se sont jamais autant ressemblé.

ri (elle s'est; ils/elles se sont) : participe toujours invariable :

Ils se sont ri de cet exercice.

souri (elle s'est; ils/elles se sont) : participe toujours invariable :

Elle s'est souri dans la glace;
Jeanne-Marie et Jacques se sont souri.

succédé (ils/elles se sont) : participe toujours invariable :

Louis XVIII et Charles X se sont succédé.

suffi (elle s'est; ils/elles se sont) : participe toujours invariable :

Elle s'est suffi à elle-même; ils se sont suffi de ces explications.

survécu (ils/elles se sont) : participe toujours invariable :

Elles se sont survécu.

voulu (elle s'en est; ils/elles s'en sont) : participe passé toujours invariable en cet emploi :

Elle s'en était voulu longtemps de sa méprise; ils s'en sont voulu réciproquement durant un demi-siècle.

LE SENS DES MODES ET DES TEMPS

Les modes des verbes – indicatif, impératif, subjonctif, conditionnel... – ont des valeurs bien distinctes (mais il peut y avoir entre eux des équivalences, car l'on peut exprimer une même idée de différentes manières). Ainsi :

L'indicatif sert à exprimer, soit dans des propositions indépendantes et principales, soit dans des propositions subordonnées introduites par **que**, la certitude, la déclaration, le jugement, la

pensée, une croyance... mais aussi la probabilité. Par ex. : *Je ne vois rien; Elle était sûre d'arriver à l'heure; J'affirme qu'il fait beaucoup trop chaud!...*
A l'intérieur de l'indicatif, **le présent** est notamment employé pour : 1. marquer un fait actuel *(Je descends à l'atelier!);* 2. un fait habituel *(Quand il pleut, je prends un parapluie);* 3. une pensée d'ordre général *(Bien mal acquis ne profite jamais).*

L'imparfait sert, entre autres, à marquer : 1. une action simultanée par rapport à une autre *(Lorsque vous étiez à Saint-Malo, je séjournais à Cannes);* 2. la répétition de l'action *(Au Moyen Age, les hivers étaient fort rudes);* 3. la supposition *(Faites comme si vous étiez sur place!);* 4. une action en cours dans le passé *(La nuit tombait...).*

Le passé simple marque un fait passé à un moment précis *(La bataille était commencée depuis trois heures quand Blücher arriva),* et est surtout employé pour la narration *(Alors se produisit un événement inouï, qui...).*

Le futur simple indique qu'une action va se produire, ou devrait se produire, dans un avenir plus ou moins proche *(Quand le chef de l'État disparaîtra...; Jeudi, j'irai au Salon du Livre).* Il existe aussi un «futur de politesse» qui donne une formulation atténuée de l'affirmation *(Je vous dirai que, à ce moment-là, je n'étais qu'un débutant...).*

Le futur antérieur indique : 1. qu'une action sera passée quand une autre interviendra *(Dès que j'aurai fini ce rapport, j'irai à la conférence);* 2. qu'on formule une hypothèse *(Vous aurez sans doute mal compris);* 3. qu'une action sera achevée à une date plus ou moins précise *(Ce jour-là, on pourra dire que l'humanité aura fait un grand pas).*

Le passé antérieur indique surtout une action passée qui a précédé immédiatement une autre action passée *(Lorsque Richelieu eut appris le complot de Cinq-Mars, il réagit avec vigueur).*

Le plus-que-parfait a un même emploi, mais il n'y a pas un rapport de succession immédiate entre les deux faits *(Alors qu'on avait proclamé la république depuis un siècle, les inégalités persistaient).* Autre emploi, dans une proposition indépendante : une simple constatation *(Les grands-parents étaient arrivés l'avant-veille).*

- Mentionnons encore **les temps surcomposés** de l'indicatif, qui, usités dans la proposition subordonnée, doivent exprimer l'antériorité d'une action par rapport à l'action mentionnée – déjà à un temps composé – dans la proposition principale *(Quand il a eu fini de peindre, il a pris une imposante collation!)*.

- **L'impératif** exprime un ordre ou une interdiction *(Ne va pas te noyer! Parle-lui donc!)*.

- **Le conditionnel** émet une hypothèse, une supposition, valable pour le présent ou pour l'avenir si l'on emploie le présent; relative au passé, si l'on utilise le conditionnel passé *(Elles nous rejoindraient, si elles le pouvaient; À l'époque, je n'aurais pas pu faire cet achat)*.

- **Le subjonctif**, enfin, est le mode le plus employé dans les propositions subordonnées (exprimant l'éventualité, l'hypothèse, la possibilité, le sentiment, le souhait, le désir, le doute, le conseil...). C'est ce mode qui doit être utilisé dans les subordonnées assujetties à des principales dont le verbe exprime l'ordre, le conseil, l'attente, l'obligation, la crainte, l'étonnement, la douleur, etc.

- La concordance des temps s'applique principalement entre propositions principales et propositions subordonnées, puisque le mode et le temps du verbe de la principale déterminent, en fonction de la signification à donner au texte, le mode et le temps des verbes des subordonnées (voir ci-après).

NOTA

Il y a, en dehors de cette «concordance grammaticale», une «concordance littéraire» qui n'est pas obligatoirement liée à l'interdépendance entre principales et subordonnées.

LA CONCORDANCE DES TEMPS EN FRANÇAIS

On appelle **concordance des temps** la nécessaire correspondance qui doit exister – d'après le sens et la chronologie – entre le temps du verbe de la proposition principale et le temps du verbe de la (ou des) proposition(s) subordonnée(s).

Le fait exprimé par la subordonnée peut être : simultané, antérieur ou postérieur par rapport à l'action principale.

A ACTION PRINCIPALE AU PRÉSENT DE L'INDICATIF

1 Action subordonnée antérieure à l'action principale

Passé simple (il s'agit d'un événement précis, bien limité dans le temps) : *Je crois que Ney eut grand tort, à Waterloo, de charger précipitamment; Elle me dit souvent qu'ils souffrirent du froid.*

Imparfait de l'indicatif (qui exprime, le plus souvent, la durée d'une action) : *Je ne crois pas me tromper en disant que le bâton des pèlerins s'appelait un bourdon...; Il nous semble aujourd'hui que les hivers de cette époque-là étaient extrêmement rigoureux; Je suis sûr qu'elle venait le lundi et le jeudi.*

Passé composé (qui peut concerner un événement relativement proche dans le passé) : *Je pense que Bobet a eu tort d'attaquer dans l'ascension de l'Aubisque, ce jour-là; Il me semble que Paul a eu raison de regagner le port, avant-hier; Tu crois vraiment que Laurence a été désagréable avec ses cousins, dimanche dernier?*

Plus-que-parfait de l'indicatif : *Je pense que Michel avait perdu, en ces circonstances, une bonne occasion de se taire...*

Passé du subjonctif : *Je doute qu'ils aient eu connaissance des préparatifs d'invasion; Je crains que son discours n'ait été déformé par les médias.*

Imparfait du subjonctif : *Je doute encore qu'il pût, seul, atteindre le sommet du K 2.*

NOTA

Dans *je doute qu'il pût,* on conteste la possibilité d'une action dont chacun sait qu'elle n'a pu être menée à bien. Avec *je doute qu'il ait pu*, on est sceptique sur la bonne fin de cette action, dont d'autres estiment qu'elle a été réalisée.

- **Plus-que-parfait du subjonctif** : *Je ne crois pas qu'il eût réussi cette première sans l'absence des vents du nord.*

2 Action subordonnée simultanée avec le fait principal

- **Présent de l'indicatif** : *Je sais qu'il passe tous les matins à 8 heures.*
- **Présent du subjonctif** : *Je ne crois pas qu'il soit présent dans la salle.*

3 Action subordonnée postérieure à l'action principale

- **Futur de l'indicatif** : *Je crois qu'un jour il trouvera ce fameux virus; Je pense qu'un jour ils seront indépendants...*
- **Présent du subjonctif** : *Je souhaite qu'un jour il vienne constater par lui-même la difficulté de l'entreprise; Il faut qu'elle soit là demain soir au plus tard.*

B ACTION PRINCIPALE À UN TEMPS PASSÉ DE L'INDICATIF

1 Fait subordonné antérieur au fait principal

- **Plus-que-parfait de l'indicatif** : *Je croyais qu'elle avait eu des jumeaux* (le locuteur reconnaît qu'il était alors dans l'erreur, ou, du moins, qu'il éprouve un doute : *Mais... je croyais qu'elle avait eu des jumeaux?...*).
- **Plus-que-parfait du subjonctif** : *Il ne me semblait pas qu'il eût pu avoir la moindre chance de l'emporter.*

2 Fait subordonné simultané avec l'action principale

- **Imparfait de l'indicatif** : *J'étais persuadé qu'il était dans l'ignorance du complot; Nous savions qu'il dérobait tous les jours cent francs dans la caisse.*

Imparfait du subjonctif : *Vous doutiez qu'il fût officier de la Légion d'honneur; Nous craignions qu'elle n'arrivât trop en retard pour pouvoir prendre le Concorde.*

3 Action subordonnée postérieure au fait principal

Présent du conditionnel : *Il savait que Claudine ne viendrait pas à leur rendez-vous.*

Imparfait du subjonctif : *Nous n'imaginions pas qu'il pût un jour accéder à la présidence de la République.*

C ACTION PRINCIPALE AU FUTUR DE L'INDICATIF

1 Action subordonnée antérieure au fait principal

Passé simple de l'indicatif : *Il m'arrivera sans doute de penser que je fus trop timoré ce jour-là...*

Imparfait de l'indicatif : *Plus tard, je penserai sans doute que nous avions de l'audace.*

Passé composé de l'indicatif : *Tu croiras certainement que nous avons eu tort de racheter ce château.*

2 Action subordonnée simultanée par rapport à l'action principale

Présent de l'indicatif : *Demain, je penserai peut-être qu'il a raison d'entreprendre cette reconversion.*

Présent du subjonctif : *Je réclamerai alors qu'il comparaisse devant le jury d'honneur.*

3 Action subordonnée postérieure à l'action principale

Futur de l'indicatif : *Nous dirons qu'elles passeront le week-end à Cabourg.*

Présent du subjonctif : *J'exigerai qu'une réponse me soit fournie dans les huit jours.*

D ACTION PRINCIPALE AU CONDITIONNEL PRÉSENT

1 Action subordonnée antérieure à l'action principale

Plus-que-parfait du subjonctif : *Nous penserions volontiers qu'il eût été licencié si n'avait éclaté à ce moment-là la crise de politique étrangère.* (On peut accepter *qu'il aurait été,* formulation moins littéraire, moins rigoureuse, mais d'usage courant.)

2 Action simultanée par rapport à l'action principale

Imparfait du subjonctif : *Je n'hésiterais pas à penser qu'il pût un jour réussir si jusqu'ici il avait montré de la constance dans l'effort.* (Dans la langue courante, on utilise fréquemment le présent du conditionnel : *Je n'hésiterais pas à penser qu'il pourrait...*)

3 Action postérieure à l'action principale

Imparfait du subjonctif : *Il semblerait qu'il finît toujours par avoir raison...* (Mais on tolère *qu'il finisse.*)

E ACTION PRINCIPALE AU PASSÉ DU CONDITIONNEL

1 Fait subordonné antérieur à l'action principale

Plus-que-parfait du subjonctif : *Il aurait plutôt pensé qu'Irène eût payé en dollars.*

2 Action subordonnée simultanée par rapport au fait principal

Imparfait du subjonctif : *Il aurait cru qu'elle appelât son frère.* (Dans la langue usuelle, on a recours au conditionnel passé : *Il aurait cru qu'elle aurait appelé son frère.*)

3 Action subordonnée postérieure à l'action principale

Imparfait du subjonctif : *On aurait pensé que, huit jours plus tard, elle accouchât.* (Le conditionnel passé est plus usité dans le langage courant : *On aurait pensé que, huit jours plus tard, elle aurait accouché.*)

REMARQUE
Comme on a pu le lire ci-dessus, la **concordance des temps** consiste en l'application de règles régissant l'emploi des temps des verbes en fonction du sens et de la chronologie. En certains cas – notamment quand l'action subordonnée est antérieure –, on doit choisir, entre plusieurs temps, celui qui reflétera le mieux la pensée, le sens.
On peut hésiter à employer l'imparfait du subjonctif, dont les formes semblent souvent affectées, prétentieuses... Moins puriste, certes, le présent du subjonctif est fréquemment préféré : *J'aurais voulu que vous vainquiez* (à la place de l'orthodoxe : *J'aurais voulu que vous vainquissiez,* par exemple).

4 Subordonnées de condition introduites par *si*

Si le verbe de la principale est au conditionnel, le verbe de la subordonnée est à l'imparfait de l'indicatif : *Si je le pouvais, je récrirais le dernier chapitre.* Ou au plus-que-parfait de l'indicatif, si la principale est au passé du conditionnel : *Si j'avais su, je ne serais pas venu en voiture!*

Si le verbe de la principale est au présent de l'indicatif, *si* est suivi du présent ou du passé composé de l'indicatif : *Si vous ne venez pas, je m'en vais; S'ils ont acheté du champagne, je n'apporte pas de vin...*

Dans la langue littéraire très soignée, le subjonctif plus-que-parfait peut suivre *si* lorsque le verbe de la principale est au conditionnel passé : *Je l'aurais attrapé si je l'eusse pu.*

Conjugaison des verbes types

TABLEAU SYNOPTIQUE P. 34 ET 35

Les ■ dans le bandeau vertical des tableaux correspondent au groupe :
■ 1er groupe, ■■ 2e groupe, ■■■ 3e groupe.

TABLEAU SYNOPTIQUE

TABLEAUX GÉNÉRAUX	
1 Auxiliaire *avoir*	**4** Forme pronominale *(se méfier)*
2 Auxiliaire *être*	**5** Les terminaisons des trois groupes de verbes
3 Forme passive *(être aimé)*	**6** Forme active *(aimer)*

■ **PREMIER GROUPE** (VERBES EN -ER)

6	aimer	**-er**	**13**	créer	**-éer**
7	placer	**-cer**	**14**	assiéger	**-éger**
8	manger	**-ger**	**15**	apprécier	**-ier**
9	peser	**-e(.)er**	**16**	payer	**-ayer**
10	céder	**-é(.)er**	**17**	broyer	**-oyer/uyer**
11	jeter	**-eler/eter I**	**18**	envoyer	–
12	modeler	**-eler/eter II**			

■ ■ **DEUXIÈME GROUPE** (VERBES EN -IR/ISSANT)

19	finir	**-ir**	**20**	haïr	–

Pour savoir avec quel auxiliaire se conjugue un verbe, se reporter au **dictionnaire orthographique** p. 121 à 175.

■■■ TROISIÈME GROUPE

21 Généralités	**22** aller

Première section
VERBES EN -IR/ANT

23	tenir	**-enir**	**31**	bouillir	**-llir**
24	acquérir	**-érir**	**32**	dormir	**-mir**
25	sentir	**-tir**	**33**	courir	**-rir**
26	vêtir	–	**34**	mourir	–
27	couvrir	**-vrir/frir**	**35**	servir	**-vir**
28	cueillir	**-llir**	**36**	fuir	**-uir**
29	assaillir	–	**37**	ouïr, gésir	
30	faillir, défaillir	–			

Deuxième section
VERBES EN -OIR

38	recevoir	**-cevoir**	**46**	falloir	**-loir**
39	voir	**-voir**	**47**	valoir	–
40	pourvoir	–	**48**	vouloir	–
41	savoir	–	**49**	asseoir	**-seoir**
42	devoir	–	**50**	seoir, messeoir	–
43	pouvoir	–	**51**	surseoir	–
44	mouvoir	–	**52**	choir, échoir, déchoir	
45	pleuvoir	–			

Troisième section
VERBES EN -RE

53	rendre	**-andre/endre /ondre -erdre/ordre**	**67**	croître	**-oître**
			68	croire	**-oire**
			69	boire	–
54	prendre	–	**70**	clore	**-ore**
55	battre	**-attre**	**71**	conclure	**-clure**
56	mettre	**-ettre**	**72**	absoudre	**-soudre**
57	peindre	**-eindre**	**73**	coudre	–
58	joindre	**-oindre**	**74**	moudre	–
59	craindre	**-aindre**	**75**	suivre	**-ivre**
60	vaincre		**76**	vivre	–
61	traire	**-aire**	**77**	lire	**-ire**
62	faire	–	**78**	dire	–
63	plaire	–	**79**	rire	–
64	connaître	**-aître**	**80**	écrire	–
65	naître	–	**81**	confire	–
66	paître, repaître	–	**82**	cuire	**-uire**

1

VERBE **AVOIR**

INDICATIF

Présent		***Passé composé***		
j'	ai	j'	ai	eu
tu	as	tu	as	eu
il	a	il	a	eu
nous	avons	n.	avons	eu
vous	avez	v.	avez	eu
ils	ont	ils	ont	eu

Imparfait		***Plus-que-parfait***		
j'	avais	j'	avais	eu
tu	avais	tu	avais	eu
il	avait	il	avait	eu
nous	avions	n.	avions	eu
vous	aviez	v.	aviez	eu
ils	avaient	ils	avaient	eu

Passé simple		***Passé antérieur***		
j'	eus	j'	eus	eu
tu	eus	tu	eus	eu
il	eut	il	eut	eu
nous	eûmes	n.	eûmes	eu
vous	eûtes	v.	eûtes	eu
ils	eurent	ils	eurent	eu

Futur simple		***Futur antérieur***		
j'	aurai	j'	aurai	eu
tu	auras	tu	auras	eu
il	aura	il	aura	eu
nous	aurons	n.	aurons	eu
vous	aurez	v.	aurez	eu
ils	auront	ils	auront	eu

SUBJONCTIF

Présent		***Passé***		
que j'	aie	que j'	aie	eu
que tu	aies	que tu	aies	eu
qu'il	ait	qu'il	ait	eu
que n.	ayons	que n.	ayons	eu
que v.	ayez	que v.	ayez	eu
qu'ils	aient	qu'ils	aient	eu

Imparfait		***Plus-que-parfait***		
que j'	eusse	que j'	eusse	eu
que tu	eusses	que tu	eusses	eu
qu'il	eût	qu'il	eût	eu
que n.	eussions	que n.	eussions	eu
que v.	eussiez	que v.	eussiez	eu
qu'ils	eussent	qu'ils	eussent	eu

IMPERATIF

Présent	***Passé***	
aie	aie	eu
ayons	ayons	eu
ayez	ayez	eu

CONDITIONNEL

Présent		***Passé 1re forme***		
j'	aurais	j'	aurais	eu
tu	aurais	tu	aurais	eu
il	aurait	il	aurait	eu
n.	aurions	n.	aurions	eu
v.	auriez	v.	auriez	eu
ils	auraient	ils	auraient	eu

Passé 2e forme

j'	eusse	eu
tu	eusses	eu
il	eût	eu
n.	eussions	eu
v.	eussiez	eu
ils	eussent	eu

INFINITIF

Présent	***Passé***
avoir	avoir eu

PARTICIPE

Présent	***Passé***
ayant	eu, eue ayant eu

Avoir est un verbe transitif quand il a un complément d'objet direct : *J'ai un beau livre.* Mais le plus souvent il sert d'auxiliaire pour tous les verbes à la forme active sauf pour quelques verbes intransitifs qui dans la liste alphabétique sont suivis du signe ◊ : J'**ai** *acheté un livre;* mais : Je **suis** *venu en toute hâte.*

INDICATIF

Présent	*Passé composé*
je suis	j' ai été
tu es	tu as été
il est	il a été
nous sommes	n. avons été
vous êtes	v. avez été
ils sont	ils ont été

Imparfait	*Plus-que-parfait*
j' étais	j' avais été
tu étais	tu avais été
il était	il avait été
nous étions	n. avions été
vous étiez	v. aviez été
ils étaient	ils avaient été

Passé simple	*Passé antérieur*
je fus	j' eus été
tu fus	tu eus été
il fut	il eut été
nous fûmes	n. eûmes été
vous fûtes	v. eûtes été
ils furent	ils eurent été

Futur simple	*Futur antérieur*
je serai	j' aurai été
tu seras	tu auras été
il sera	il aura été
nous serons	n. aurons été
vous serez	v. aurez été
ils seront	ils auront été

SUBJONCTIF

Présent	*Passé*
que je sois	que j' aie été
que tu sois	que tu aies été
qu'il soit	qu'il ait été
que n. soyons	que n. ayons été
que v. soyez	que v. ayez été
qu'ils soient	qu'ils aient été

Imparfait	*Plus-que-parfait*
que je fusse	que j' eusse été
que tu fusses	que tu eusses été
qu'il fût	qu'il eût été
que n. fussions	que n. eussions été
que v. fussiez	que v. eussiez été
qu'ils fussent	qu'ils eussent été

IMPERATIF

Présent	*Passé*
sois	aie été
soyons	ayons été
soyez	ayez été

CONDITIONNEL

Présent	*Passé 1re forme*	*Passé 2e forme*
je serais	j' aurais été	j' eusse été
tu serais	tu aurais été	tu eusses été
il serait	il aurait été	il eût été
n. serions	n. aurions été	n. eussions été
v. seriez	v. auriez été	v. eussiez été
ils seraient	ils auraient été	ils eussent été

INFINITIF

Présent	*Passé*
être	avoir été

PARTICIPE

Présent	*Passé*
étant	été ayant été

Être sert d'auxiliaire : 1. à tous les verbes passifs; 2. à tous les verbes pronominaux; 3. à quelques verbes intransitifs qui dans la liste alphabétique sont suivis du signe ♦. Certains verbes se conjuguent tantôt avec **être,** tantôt avec **avoir :** ils sont affectés du signe ◊. Le participe **été** est toujours invariable.

3 ■ ÊTRE AIMÉ conjugaison type de la forme passive

INDICATIF

Présent			*Passé composé*		
je	suis	aimé	j'	ai	été aimé
tu	es	aimé	tu	as	été aimé
il	est	aimé	il	a	été aimé
n.	sommes	aimés	n.	avons	été aimés
v.	êtes	aimés	v.	avez	été aimés
ils	sont	aimés	ils	ont	été aimés

Imparfait			*Plus-que-parfait*		
j'	étais	aimé	j'	avais	été aimé
tu	étais	aimé	tu	avais	été aimé
il	était	aimé	il	avait	été aimé
n.	étions	aimés	n.	avions	été aimés
v.	étiez	aimés	v.	aviez	été aimés
ils	étaient	aimés	ils	avaient	été aimés

Passé simple			*Passé antérieur*		
je	fus	aimé	j'	eus	été aimé
tu	fus	aimé	tu	eus	été aimé
il	fut	aimé	il	eut	été aimé
n.	fûmes	aimés	n.	eûmes	été aimés
v.	fûtes	aimés	v.	eûtes	été aimés
ils	furent	aimés	ils	eurent	été aimés

Futur simple			*Futur antérieur*		
je	serai	aimé	j'	aurai	été aimé
tu	seras	aimé	tu	auras	été aimé
il	sera	aimé	il	aura	été aimé
n.	serons	aimés	n.	aurons	été aimés
v.	serez	aimés	v.	aurez	été aimés
ils	seront	aimés	ils	auront	été aimés

SUBJONCTIF

Présent			*Passé*		
que je	sois	aimé	que j'	aie	été aimé
que tu	sois	aimé	que tu	aies	été aimé
qu'il	soit	aimé	qu'il	ait	été aimé
que n.	soyons	aimés	que n.	ayons	été aimés
que v.	soyez	aimés	que v.	ayez	été aimés
qu'ils	soient	aimés	qu'ils	aient	été aimés

Imparfait			*Plus-que-parfait*		
que je	fusse	aimé	que j'	eusse	été aimé
que tu	fusses	aimé	que tu	eusses	été aimé
qu'il	fût	aimé	qu'il	eût	été aimé
que n.	fussions	aimés	que n.	eussions	été aimés
que v.	fussiez	aimés	que v.	eussiez	été aimés
qu'ils	fussent	aimés	qu'ils	eussent	été aimés

IMPERATIF

Présent		*Passé*
sois	aimé	*inusité*
soyons	aimés	
soyez	aimés	

CONDITIONNEL

Présent			*Passé 1re forme*		
je	serais	aimé	j'	aurais	été aimé
tu	serais	aimé	tu	aurais	été aimé
il	serait	aimé	il	aurait	été aimé
n.	serions	aimés	n.	aurions	été aimés
v.	seriez	aimés	v.	auriez	été aimés
ils	seraient	aimés	ils	auraient	été aimés

Passé 2e forme		
j'	eusse	été aimé
tu	eusses	été aimé
il	eût	été aimé
n.	eussions	été aimés
v.	eussiez	été aimés
ils	eussent	été aimés

INFINITIF

Présent	*Passé*
être aimé	avoir été aimé

PARTICIPE

Présent	*Passé*
étant aimé	aimé, ée ayant été aimé

Le participe passé du verbe à la forme passive s'accorde toujours avec le sujet : *Elle est aimée.*

4

conjugaison type de la forme pronominale[1] **SE MÉFIER**

INDICATIF

Présent		***Passé composé***		
je me	méfie	je me	suis	méfié
tu te	méfies	tu t'	es	méfié
il se	méfie	il s'	est	méfié
n. n.	méfions	n. n.	sommes	méfiés
v. v.	méfiez	v. v.	êtes	méfiés
ils se	méfient	ils se	sont	méfiés

Imparfait		***Plus-que-parfait***		
je me	méfiais	je m'	étais	méfié
tu te	méfiais	tu t'	étais	méfié
il se	méfiait	il s'	était	méfié
n. n.	méfiions	n. n.	étions	méfiés
v. v.	méfiiez	v. v.	étiez	méfiés
ils se	méfiaient	ils s'	étaient	méfiés

Passé simple		***Passé antérieur***		
je me	méfiai	je me	fus	méfié
tu te	méfias	tu te	fus	méfié
il se	méfia	il se	fut	méfié
n. n.	méfiâmes	n. n.	fûmes	méfiés
v. v.	méfiâtes	v. v.	fûtes	méfiés
ils se	méfièrent	ils se	furent	méfiés

Futur simple		***Futur antérieur***		
je me	méfierai	je me	serai	méfié
tu te	méfieras	tu te	seras	méfié
il se	méfiera	il se	sera	méfié
n. n.	méfierons	n. n.	serons	méfiés
v. v.	méfierez	v. v.	serez	méfiés
ils se	méfieront	ils se	seront	méfiés

SUBJONCTIF

Présent		***Passé***		
que je me	méfie	que je me	sois	méfié
que tu te	méfies	que tu te	sois	méfié
qu'il se	méfie	qu'il se	soit	méfié
que n. n.	méfiions	que n. n.	soyons	méfiés
que v. v.	méfiiez	que v. v.	soyez	méfiés
qu'ils se	méfient	qu'ils se	soient	méfiés

Imparfait		***Plus-que-parfait***		
que je me	méfiasse	que je me	fusse	méfié
que tu te	méfiasses	que tu te	fusses	méfié
qu'il se	méfiât	qu'il se	fût	méfié
que n. n.	méfiassions	que n. n.	fussions	méfiés
que v. v.	méfiassiez	que v. v.	fussiez	méfiés
qu'ils se	méfiassent	qu'ils se	fussent	méfiés

IMPERATIF

Présent	***Passé***
méfie-toi	*inusité*
méfions-nous	
méfiez-vous	

CONDITIONNEL

Présent		***Passé 1re forme***		
je me	méfierais	je me	serais	méfié
tu te	méfierais	tu te	serais	méfié
il se	méfierait	il se	serait	méfié
n. n.	méfierions	n. n.	serions	méfiés
v. v.	méfieriez	v. v.	seriez	méfiés
ils se	méfieraient	ils se	seraient	méfiés

Passé 2e forme

je me	fusse	méfié
tu te	fusses	méfié
il se	fût	méfié
n. n.	fussions	méfiés
v. v.	fussiez	méfiés
ils se	fussent	méfiés

INFINITIF

Présent	***Passé***
se méfier	s'être méfié

PARTICIPE

Présent	***Passé***
se méfiant	s'étant méfié

1. Dans les emplois notés P dans le dictionnaire (p. 121), le participe passé s'accorde. Dans les emplois notés P, le participe passé est invariable **(ils se sont nui).** Les verbes réciproques ne s'emploient qu'au pluriel *(ils s'entre-tuèrent au lieu de s'entraider).*

5 LES TERMINAISONS DES TROIS GROUPES DE VERBES

	1er GROUPE ■	2e GROUPE ■■	3e GROUPE ■■■	
INDICATIF ***Présent***				
	e[1]	is	s (x)[3]	e[5]
	es	is	s (x)[3]	es[5]
	e	it	t (d)[4]	e[5]
	ons	issons	ons	ons
	ez	issez	ez	ez
	ent	issent	ent (nt)[2]	ent
Imparfait				
	ais	issais	ais	
	ais	issais	ais	
	ait	issait	ait	
	ions	issions	ions	
	iez	issiez	iez	
	aient	issaient	aient	
Passé simple				
	ai	is	is[7]	us[7]
	as	is	is	us
	a	it	it	ut
	âmes	îmes	îmes	ûmes
	âtes	îtes	îtes	ûtes
	èrent	irent	irent	urent
Futur simple				
	erai	irai		rai
	eras	iras		ras
	era	ira		ra
	erons	irons		rons
	erez	irez		rez
	eront	iront		ront

MODES IMPERSONNELS

	1er GROUPE ■	2e GROUPE ■■	3e GROUPE ■■■
INFINITIF ***Présent***			
	er	ir	ir ; oir ; re

	1er GROUPE ■	2e GROUPE ■■	3e GROUPE ■■■	
SUBJONCTIF ***Présent***				
	e	isse	e	
	es	isses	es	
	e	isse	e	
	ions	issions	ions	
	iez	issiez	iez	
	ent	issent	ent	
Imparfait[6]				
	asse	isse[7]	isse[7]	usse[7]
	asses	isses	isses	usses
	ât	ît	ît	ût
	assions	issions	issions	ussions
	assiez	issiez	issiez	ussiez
	assent	issent	issent	ussent
IMPERATIF ***Présent***				
	e	is	s	e[5]
	ons	issons	ons	ons
	ez	issez	ez	ez
CONDITIONNEL ***Présent***				
	erais	irais	rais	
	erais	irais	rais	
	erait	irait	rait	
	erions	irions	rions	
	eriez	iriez	riez	
	eraient	iraient	raient	

	1er GROUPE ■	2e GROUPE ■■	3e GROUPE ■■■
PARTICIPE ***Présent***[8]			
	ant	issant	ant
Passé			
	é	i	i (is, it) ; u (us) ; t ; s

1. Forme interrogative : devant **je** inversé, **e** final s'écrit **é** et se prononce **è** ouvert : *aimé-je? acheté-je?*
2. Ont la finale **-ont :** *ils sont, ils ont, ils font, ils vont.*
3. Seulement dans *je peux, tu peux ; je veux, tu veux ; je vaux, tu vaux.*
4. Ont la finale **d :** les verbes en **dre** (sauf ceux en **...indre** et **soudre,** qui prennent un **t**).
5. Ainsi *assaillir, couvrir, cueillir, défaillir, offrir, ouvrir, souffrir, tressaillir,* et, à l'impératif seulement, *avoir, savoir, vouloir (aie, sache, veuille).*
6. Remarquons que pour tous les verbes français ce temps est formé à partir de la 2e personne du passé simple de l'indicatif.
7. Sauf *je vins,* etc., *je tins,* etc., *que je vinsse,* etc., *que je tinsse,* etc. ; et leurs composés.
8. Les verbes «météorologiques» (*neiger, pleuvoir,* etc.) ne tolèrent de participe présent que dans le sens figuré.

conjugaison type de la forme active[1] VERBES EN **-ER : AIMER**

INDICATIF

Présent	***Passé composé***
j' aime	j' ai aimé
tu aimes	tu as aimé
il aime	il a aimé
nous aimons	n. avons aimé
vous aimez	v. avez aimé
ils aiment	ils ont aimé

Imparfait	***Plus-que-parfait***
j' aimais	j' avais aimé
tu aimais	tu avais aimé
il aimait	il avait aimé
nous aimions	n. avions aimé
vous aimiez	v. aviez aimé
ils aimaient	ils avaient aimé

Passé simple	***Passé antérieur***
j' aimai	j' eus aimé
tu aimas	tu eus aimé
il aima	il eut aimé
nous aimâmes	n. eûmes aimé
vous aimâtes	v. eûtes aimé
ils aimèrent	ils eurent aimé

Futur simple	***Futur antérieur***
j' aimerai	j' aurai aimé
tu aimeras	tu auras aimé
il aimera	il aura aimé
nous aimerons	n. aurons aimé
vous aimerez	v. aurez aimé
ils aimeront	ils auront aimé

SUBJONCTIF

Présent	***Passé***
que j' aime	que j' aie aimé
que tu aimes	que tu aies aimé
qu'il aime	qu'il ait aimé
que n. aimions	que n. ayons aimé
que v. aimiez	que v. ayez aimé
qu'ils aiment	qu'ils aient aimé

Imparfait	***Plus-que-parfait***
que j' aimasse	que j' eusse aimé
que tu aimasses	que tu eusses aimé
qu'il aimât	qu'il eût aimé
que n. aimassions	que n. eussions aimé
que v. aimassiez	que v. eussiez aimé
qu'ils aimassent	qu'ils eussent aimé

IMPERATIF

Présent	***Passé***
aime	aie aimé
aimons	ayons aimé
aimez	ayez aimé

CONDITIONNEL

Présent	***Passé 1re forme***	***Passé 2e forme***
j' aimerais	j' aurais aimé	j' eusse aimé
tu aimerais	tu aurais aimé	tu eusses aimé
il aimerait	il aurait aimé	il eût aimé
n. aimerions	n. aurions aimé	n. eussions aimé
v. aimeriez	v. auriez aimé	v. eussiez aimé
ils aimeraient	ils auraient aimé	ils eussent aimé

INFINITIF

Présent	***Passé***
aimer	avoir aimé

PARTICIPE

Présent	***Passé***
aimant	aimé, ée ayant aimé

1. Pour les verbes qui, à la forme active, forment leurs temps composés avec l'auxiliaire **être,** voir la conjugaison du verbe **aller** (tableau 22) ou celle du verbe **mourir** (tableau 34).

7

VERBES EN **-CER : PLACER**

INDICATIF

Présent		*Passé composé*		
je	place	j'	ai	placé
tu	places	tu	as	placé
il	place	il	a	placé
nous	plaçons	n.	avons	placé
vous	placez	v.	avez	placé
ils	placent	ils	ont	placé

Imparfait		*Plus-que-parfait*		
je	plaçais	j'	avais	placé
tu	plaçais	tu	avais	placé
il	plaçait	il	avait	placé
nous	placions	n.	avions	placé
vous	placiez	v.	aviez	placé
ils	plaçaient	ils	avaient	placé

Passé simple		*Passé antérieur*		
je	plaçai	j'	eus	placé
tu	plaças	tu	eus	placé
il	plaça	il	eut	placé
nous	plaçâmes	n.	eûmes	placé
vous	plaçâtes	v.	eûtes	placé
ils	placèrent	ils	eurent	placé

Futur simple		*Futur antérieur*		
je	placerai	j'	aurai	placé
tu	placeras	tu	auras	placé
il	placera	il	aura	placé
nous	placerons	n.	aurons	placé
vous	placerez	v.	aurez	placé
ils	placeront	ils	auront	placé

SUBJONCTIF

Présent		*Passé*		
que je	place	que j'	aie	placé
que tu	places	que tu	aies	placé
qu'il	place	qu'il	ait	placé
que n.	placions	que n.	ayons	placé
que v.	placiez	que v.	ayez	placé
qu'ils	placent	qu'ils	aient	placé

Imparfait		*Plus-que-parfait*		
que je	plaçasse	que j'	eusse	placé
que tu	plaçasses	que tu	eusses	placé
qu'il	plaçât	qu'il	eût	placé
que n.	plaçassions	que n.	eussions	placé
que v.	plaçassiez	que v.	eussiez	placé
qu'ils	plaçassent	qu'ils	eussent	placé

IMPERATIF

Présent	*Passé*	
place	aie	placé
plaçons	ayons	placé
placez	ayez	placé

CONDITIONNEL

Présent		*Passé 1re forme*		
je	placerais	j'	aurais	placé
tu	placerais	tu	aurais	placé
il	placerait	il	aurait	placé
n.	placerions	n.	aurions	placé
v.	placeriez	v.	auriez	placé
ils	placeraient	ils	auraient	placé

Passé 2e forme

j'	eusse	placé
tu	eusses	placé
il	eût	placé
n.	eussions	placé
v.	eussiez	placé
ils	eussent	placé

INFINITIF

Présent	*Passé*
placer	avoir placé

PARTICIPE

Présent	*Passé*
plaçant	placé, ée ayant placé

Les verbes en **-cer** prennent une **cédille** sous le **c** devant les voyelles **a** et **o** : *Commençons, tu commenças,* pour conserver au **c** le son doux.
Nota : Pour les verbes en **-écer,** voir aussi 10.

INDICATIF

Présent		*Passé composé*		
je	mange	j'	ai	mangé
tu	manges	tu	as	mangé
il	mange	il	a	mangé
nous	mangeons	n.	avons	mangé
vous	mangez	v.	avez	mangé
ils	mangent	ils	ont	mangé

Imparfait		*Plus-que-parfait*		
je	mangeais	j'	avais	mangé
tu	mangeais	tu	avais	mangé
il	mangeait	il	avait	mangé
nous	mangions	n.	avions	mangé
vous	mangiez	v.	aviez	mangé
ils	mangeaient	ils	avaient	mangé

Passé simple		*Passé antérieur*		
je	mangeai	j'	eus	mangé
tu	mangeas	tu	eus	mangé
il	mangea	il	eut	mangé
nous	mangeâmes	n.	eûmes	mangé
vous	mangeâtes	v.	eûtes	mangé
ils	mangèrent	ils	eurent	mangé

Futur simple		*Futur antérieur*		
je	mangerai	j'	aurai	mangé
tu	mangeras	tu	auras	mangé
il	mangera	il	aura	mangé
nous	mangerons	n.	aurons	mangé
vous	mangerez	v.	aurez	mangé
ils	mangeront	ils	auront	mangé

SUBJONCTIF

Présent		*Passé*		
que je	mange	que j'	aie	mangé
que tu	manges	que tu	aies	mangé
qu'il	mange	qu'il	ait	mangé
que n.	mangions	que n.	ayons	mangé
que v.	mangiez	que v.	ayez	mangé
qu'ils	mangent	qu'ils	aient	mangé

Imparfait		*Plus-que-parfait*		
que je	mangeasse	que j'	eusse	mangé
que tu	mangeasses	que tu	eusses	mangé
qu'il	mangeât	qu'il	eût	mangé
que n.	mangeassions	que n.	eussions	mangé
que v.	mangeassiez	que v.	eussiez	mangé
qu'ils	mangeassent	qu'ils	eussent	mangé

IMPERATIF

Présent	*Passé*	
mange	aie	mangé
mangeons	ayons	mangé
mangez	ayez	mangé

CONDITIONNEL

Présent		*Passé 1re forme*		
je	mangerais	j'	aurais	mangé
tu	mangerais	tu	aurais	mangé
il	mangerait	il	aurait	mangé
n.	mangerions	n.	aurions	mangé
v.	mangeriez	v.	auriez	mangé
ils	mangeraient	ils	auraient	mangé

Passé 2e forme		
j'	eusse	mangé
tu	eusses	mangé
il	eût	mangé
n.	eussions	mangé
v.	eussiez	mangé
ils	eussent	mangé

INFINITIF

Présent	*Passé*
manger	avoir mangé

PARTICIPE

Présent	*Passé*
mangeant	mangé, ée ayant mangé

Les verbes en-**ger** conservent l'**e** après le **g** devant les voyelles **a** et **o :** *Nous jugeons, tu jugeas,* pour maintenir partout le son du **g** doux. (Bien entendu, les verbes en **-guer** conservent le **u** à toutes les formes.)

9

VERBES EN **E(.)ER : PESER**

Verbes ayant un **e muet** (e) à l'avant-dernière syllabe de l'infinitif

INDICATIF

Présent		*Passé composé*		
je	pèse	j'	ai	pesé
tu	pèses	tu	as	pesé
il	pèse	il	a	pesé
nous	pesons	n.	avons	pesé
vous	pesez	v.	avez	pesé
ils	pèsent	ils	ont	pesé

Imparfait		*Plus-que-parfait*		
je	pesais	j'	avais	pesé
tu	pesais	tu	avais	pesé
il	pesait	il	avait	pesé
nous	pesions	n.	avions	pesé
vous	pesiez	v.	aviez	pesé
ils	pesaient	ils	avaient	pesé

Passé simple		*Passé antérieur*		
je	pesai	j'	eus	pesé
tu	pesas	tu	eus	pesé
il	pesa	il	eut	pesé
nous	pesâmes	n.	eûmes	pesé
vous	pesâtes	v.	eûtes	pesé
ils	pesèrent	ils	eurent	pesé

Futur simple		*Futur antérieur*		
je	pèserai	j'	aurai	pesé
tu	pèseras	tu	auras	pesé
il	pèsera	il	aura	pesé
nous	pèserons	n.	aurons	pesé
vous	pèserez	v.	aurez	pesé
ils	pèseront	ils	auront	pesé

SUBJONCTIF

Présent		*Passé*		
que je	pèse	que j'	aie	pesé
que tu	pèses	que tu	aies	pesé
qu'il	pèse	qu'il	ait	pesé
que n.	pesions	que n.	ayons	pesé
que v.	pesiez	que v.	ayez	pesé
qu'ils	pèsent	qu'ils	aient	pesé

Imparfait		*Plus-que-parfait*		
que je	pesasse	que j'	eusse	pesé
que tu	pesasses	que tu	eusses	pesé
qu'il	pesât	qu'il	eût	pesé
que n.	pesassions	que n.	eussions	pesé
que v.	pesassiez	que v.	eussiez	pesé
qu'ils	pesassent	qu'ils	eussent	pesé

IMPERATIF

Présent	*Passé*	
pèse	aie	pesé
pesons	ayons	pesé
pesez	ayez	pesé

CONDITIONNEL

Présent		*Passé 1re forme*		
je	pèserais	j'	aurais	pesé
tu	pèserais	tu	aurais	pesé
il	pèserait	il	aurait	pesé
n.	pèserions	n.	aurions	pesé
v.	pèseriez	v.	auriez	pesé
ils	pèseraient	ils	auraient	pesé

Passé 2e forme		
j'	eusse	pesé
tu	eusses	pesé
il	eût	pesé
n.	eussions	pesé
v.	eussiez	pesé
ils	eussent	pesé

INFINITIF

Présent	*Passé*
peser	avoir pesé

PARTICIPE

Présent	*Passé*
pesant	pesé, ée ayant pesé

Verbes en **-ecer, -emer, -ener, -eper, -erer, -ever, -evrer.**

Ces verbes qui ont un **e** muet à l'avant-dernière syllabe de l'infinitif, comme **lever,** changent l'**e muet** en **è ouvert** devant une syllabe muette, y compris devant les terminaisons *erai..., erais...,* du futur et du conditionnel : *Je lève, je lèverai.*

Nota. Pour les verbes en **-eler, -eter,** voir 11 et 12.

VERBES EN É(.)ER : CÉDER

Verbes ayant un **é fermé** (é) à l'avant-dernière syllabe de l'infinitif

INDICATIF

Présent		*Passé composé*		
je	cède	j'	ai	cédé
tu	cèdes	tu	as	cédé
il	cède	il	a	cédé
nous	cédons	n.	avons	cédé
vous	cédez	v.	avez	cédé
ils	cèdent	ils	ont	cédé

Imparfait		*Plus-que-parfait*		
je	cédais	j'	avais	cédé
tu	cédais	tu	avais	cédé
il	cédait	il	avait	cédé
nous	cédions	n.	avions	cédé
vous	cédiez	v.	aviez	cédé
ils	cédaient	ils	avaient	cédé

Passé simple		*Passé antérieur*		
je	cédai	j'	eus	cédé
tu	cédas	tu	eus	cédé
il	céda	il	eut	cédé
nous	cédâmes	n.	eûmes	cédé
vous	cédâtes	v.	eûtes	cédé
ils	cédèrent	ils	eurent	cédé

Futur simple		*Futur antérieur*		
je	céderai	j'	aurai	cédé
tu	céderas	tu	auras	cédé
il	cédera	il	aura	cédé
nous	céderons	n.	aurons	cédé
vous	céderez	v.	aurez	cédé
ils	céderont	ils	auront	cédé

SUBJONCTIF

Présent		*Passé*		
que je	cède	que j'	aie	cédé
que tu	cèdes	que tu	aies	cédé
qu'il	cède	qu'il	ait	cédé
que n.	cédions	que n.	ayons	cédé
que v.	cédiez	que v.	ayez	cédé
qu'ils	cèdent	qu'ils	aient	cédé

Imparfait		*Plus-que-parfait*		
que je	cédasse	que j'	eusse	cédé
que tu	cédasses	que tu	eusses	cédé
qu'il	cédât	qu'il	eût	cédé
que n.	cédassions	que n.	eussions	cédé
que v.	cédassiez	que v.	eussiez	cédé
qu'ils	cédassent	qu'ils	eussent	cédé

IMPERATIF

Présent	*Passé*	
cède	aie	cédé
cédons	ayons	cédé
cédez	ayez	cédé

CONDITIONNEL

Présent		*Passé 1re forme*		
je	céderais	j'	aurais	cédé
tu	céderais	tu	aurais	cédé
il	céderait	il	aurait	cédé
n.	céderions	n.	aurions	cédé
v.	céderiez	v.	auriez	cédé
ils	céderaient	ils	auraient	cédé

Passé 2e forme		
j'	eusse	cédé
tu	eusses	cédé
il	eût	cédé
n.	eussions	cédé
v.	eussiez	cédé
ils	eussent	cédé

INFINITIF

Présent	*Passé*
céder	avoir cédé

PARTICIPE

Présent	*Passé*
cédant	cédé, ée ayant cédé

Verbes en **-ébrer, -écer, -écher, -écrer, -éder, -égler, -égner, -égrer, -éguer, -éler, -émer, -éner, -éper, -équer, -érer, -éser, -éter, -étrer, évrer, éyer,** etc. Ces verbes qui ont un **é** fermé à l'avant-dernière syllabe de l'infinitif changent l'**é fermé** en **è ouvert** devant une syllabe muette finale : *Je cède.*
Au futur et au conditionnel, ces verbes conservent l'**é fermé :** *Je céderai, tu céderais,* malgré la tendance à prononcer cet **é** de plus en plus ouvert.
Avérer signifiant *reconnaître pour vrai, vérifier,* ne s'emploie guère qu'à l'infinitif et au participe passé : *le fait est avéré.* La forme pronominale **s'avérer** se conjugue complètement, mais on constate un glissement de sens de *se révéler vrai* à *se révéler* qui s'impose de plus en plus : *La résistance s'avéra inutile.*

11

VERBES EN **-ELER** OU **-ETER : JETER**
1. Verbes doublant **l** ou **t** devant **e muet**

INDICATIF

Présent		***Passé composé***		
je	jette	j'	ai	jeté
tu	jettes	tu	as	jeté
il	jette	il	a	jeté
nous	jetons	n.	avons	jeté
vous	jetez	v.	avez	jeté
ils	jettent	ils	ont	jeté

Imparfait		***Plus-que-parfait***		
je	jetais	j'	avais	jeté
tu	jetais	tu	avais	jeté
il	jetait	il	avait	jeté
nous	jetions	n.	avions	jeté
vous	jetiez	v.	aviez	jeté
ils	jetaient	ils	avaient	jeté

Passé simple		***Passé antérieur***		
je	jetai	j'	eus	jeté
tu	jetas	tu	eus	jeté
il	jeta	il	eut	jeté
nous	jetâmes	n.	eûmes	jeté
vous	jetâtes	v.	eûtes	jeté
ils	jetèrent	ils	eurent	jeté

Futur simple		***Futur antérieur***		
je	jetterai	j'	aurai	jeté
tu	jetteras	tu	auras	jeté
il	jettera	il	aura	jeté
nous	jetterons	n.	aurons	jeté
vous	jetterez	v.	aurez	jeté
ils	jetteront	ils	auront	jeté

SUBJONCTIF

Présent		***Passé***		
que je	jette	que j'	aie	jeté
que tu	jettes	que tu	aies	jeté
qu'il	jette	qu'il	ait	jeté
que n.	jetions	que n.	ayons	jeté
que v.	jetiez	que v.	ayez	jeté
qu'ils	jettent	qu'ils	aient	jeté

Imparfait		***Plus-que-parfait***		
que je	jetasse	que j'	eusse	jeté
que tu	jetasses	que tu	eusses	jeté
qu'il	jetât	qu'il	eût	jeté
que n.	jetassions	que n.	eussions	jeté
que v.	jetassiez	que v.	eussiez	jeté
qu'ils	jetassent	qu'ils	eussent	jeté

IMPERATIF

Présent	***Passé***	
jette	aie	jeté
jetons	ayons	jeté
jetez	ayez	jeté

CONDITIONNEL

Présent		***Passé 1re forme***		
je	jetterais	j'	aurais	jeté
tu	jetterais	tu	aurais	jeté
il	jetterait	il	aurait	jeté
n.	jetterions	n.	aurions	jeté
v.	jetteriez	v.	auriez	jeté
ils	jetteraient	ils	auraient	jeté

Passé 2e forme

j'	eusse	jeté
tu	eusses	jeté
il	eût	jeté
n.	eussions	jeté
v.	eussiez	jeté
ils	eussent	jeté

INFINITIF

Présent	***Passé***
jeter	avoir jeté

PARTICIPE

Présent	***Passé***
jetant	jeté, ée ayant jeté

En règle générale, les verbes en **-eler** ou en **-eter** doublent la consonne **l** ou **t** devant un **e muet :** *Je jette, j'appelle.* Un petit nombre ne doublent pas devant l'**e muet** la consonne **l** ou **t,** mais prennent un accent grave sur le **e** qui précède le **l** ou le **t :** *J'achète, je modèle* (v. en tête de la page suivante la liste de ces exceptions).

VERBE EN -ELER OU -ETER : MODELER
2. Verbes changeant **e** en **è** devant syllabe muette

INDICATIF

Présent	*Passé composé*	*Imparfait*	*Plus-que-parfait*
je modèle	j' ai modelé	je modelais	j' avais modelé
tu modèles	tu as modelé	tu modelais	tu avais modelé
il modèle	il a modelé	il modelait	il avait modelé
nous modelons	n. avons modelé	nous modelions	n. avions modelé
vous modelez	v. avez modelé	vous modeliez	v. aviez modelé
ils modèlent	ils ont modelé	ils modelaient	ils avaient modelé

Passé simple	*Passé antérieur*	*Futur simple*	*Futur antérieur*
je modelai	j' eus modelé	je modèlerai	j' aurai modelé
tu modelas	tu eus modelé	tu modèleras	tu auras modelé
il modela	il eut modelé	il modèlera	il aura modelé
nous modelâmes	n. eûmes modelé	nous modèlerons	n. aurons modelé
vous modelâtes	v. eûtes modelé	vous modèlerez	v. aurez modelé
ils modelèrent	ils eurent modelé	ils modèleront	ils auront modelé

SUBJONCTIF

Présent	*Passé*	*Imparfait*	*Plus-que-parfait*
que je modèle	que j' aie modelé	que je modelasse	que j' eusse modelé
que tu modèles	que tu aies modelé	que tu modelasses	que tu eusses modelé
qu'il modèle	qu'il ait modelé	qu'il modelât	qu'il eût modelé
que n. modelions	que n. ayons modelé	que n. modelassions	que n. eussions modelé
que v. modeliez	que v. ayez modelé	que v. modelassiez	que v. eussiez modelé
qu'ils modèlent	qu'ils aient modelé	qu'ils modelassent	qu'ils eussent modelé

IMPERATIF

Présent	*Passé*
modèle	aie modelé
modelons	ayons modelé
modelez	ayez modelé

CONDITIONNEL

Présent	*Passé 1re forme*	*Passé 2e forme*
je modèlerais	j' aurais modelé	j' eusse modelé
tu modèlerais	tu aurais modelé	tu eusses modelé
il modèlerait	il aurait modelé	il eût modelé
n. modèlerions	n. aurions modelé	n. eussions modelé
v. modèleriez	v. auriez modelé	v. eussiez modelé
ils modèleraient	ils auraient modelé	ils eussent modelé

INFINITIF

Présent	*Passé*
modeler	avoir modelé

PARTICIPE

Présent	*Passé*
modelant	modelé, ée ayant modelé

Quelques verbes ne doublent pas le **l** ou le **t** devant un **e** muet :
1. Verbes en **-eler** se conjuguant comme **je modèle :** *celer (déceler, receler), ciseler, démanteler, écarteler, s'encasteler, geler (dégeler, congeler, surgeler), marteler, peler.*
2. Verbes en **-eter** se conjuguant comme **j'achète :** *racheter, bégueter, corseter, crocheter, fileter, fureter, haleter.*

13 VERBES EN **-ÉER : CRÉER**

INDICATIF

Présent		*Passé composé*		
je	crée	j'	ai	créé
tu	crées	tu	as	créé
il	crée	il	a	créé
nous	créons	n.	avons	créé
vous	créez	v.	avez	créé
ils	créent	ils	ont	créé

Imparfait		*Plus-que-parfait*		
je	créais	j'	avais	créé
tu	créais	tu	avais	créé
il	créait	il	avait	créé
nous	créions	n.	avions	créé
vous	créiez	v.	aviez	créé
ils	créaient	ils	avaient	créé

Passé simple		*Passé antérieur*		
je	créai	j'	eus	créé
tu	créas	tu	eus	créé
il	créa	il	eut	créé
nous	créâmes	n.	eûmes	créé
vous	créâtes	v.	eûtes	créé
ils	créèrent	ils	eurent	créé

Futur simple		*Futur antérieur*		
je	créerai	j'	aurai	créé
tu	créeras	tu	auras	créé
il	créera	il	aura	créé
nous	créerons	n.	aurons	créé
vous	créerez	v.	aurez	créé
ils	créeront	ils	auront	créé

SUBJONCTIF

Présent		*Passé*		
que je	crée	que j'	aie	créé
que tu	crées	que tu	aies	créé
qu'il	crée	qu'il	ait	créé
que n.	créions	que n.	ayons	créé
que v.	créiez	que v.	ayez	créé
qu'ils	créent	qu'ils	aient	créé

Imparfait		*Plus-que-parfait*		
que je	créasse	que j'	eusse	créé
que tu	créasses	que tu	eusses	créé
qu'il	créât	qu'il	eût	créé
que n.	créassions	que n.	eussions	créé
que v.	créassiez	que v.	eussiez	créé
qu'ils	créassent	qu'ils	eussent	créé

IMPERATIF

Présent	*Passé*	
crée	aie	créé
créons	ayons	créé
créez	ayez	créé

CONDITIONNEL

Présent		*Passé 1re forme*		
je	créerais	j'	aurais	créé
tu	créerais	tu	aurais	créé
il	créerait	il	aurait	créé
n.	créerions	n.	aurions	créé
v.	créeriez	v.	auriez	créé
ils	créeraient	ils	auraient	créé

Passé 2e forme		
j'	eusse	créé
tu	eusses	créé
il	eût	créé
n.	eussions	créé
v.	eussiez	créé
ils	eussent	créé

INFINITIF

Présent	*Passé*
créer	avoir créé

PARTICIPE

Présent	*Passé*
créant	créé, éée ayant créé

Ces verbes n'offrent d'autre particularité que la présence très régulière de deux **e** à certaines personnes de l'indicatif présent, du passé simple, du futur, du conditionnel, de l'impératif, du subjonctif, au participe passé masculin, et celle de trois **e** au participe passé féminin : *créée.*
Dans les verbes en **-éer,** l'**é** reste toujours fermé : *Je crée, tu crées...*
Noter la forme adjectivale du participe passé dans «bouche **bée**».

INDICATIF

Présent		*Passé composé*		
j'	assiège	j'	ai	assiégé
tu	assièges	tu	as	assiégé
il	assiège	il	a	assiégé
nous	assiégeons	n.	avons	assiégé
vous	assiégez	v.	avez	assiégé
ils	assiègent	ils	ont	assiégé

Imparfait		*Plus-que-parfait*		
j'	assiégeais	j'	avais	assiégé
tu	assiégeais	tu	avais	assiégé
il	assiégeait	il	avait	assiégé
nous	assiégions	n.	avions	assiégé
vous	assiégiez	v.	aviez	assiégé
ils	assiégeaient	ils	avaient	assiégé

Passé simple		*Passé antérieur*		
j'	assiégeai	j'	eus	assiégé
tu	assiégeas	tu	eus	assiégé
il	assiégea	il	eut	assiégé
nous	assiégeâmes	n.	eûmes	assiégé
vous	assiégeâtes	v.	eûtes	assiégé
ils	assiégèrent	ils	eurent	assiégé

Futur simple		*Futur antérieur*		
j'	assiégerai	j'	aurai	assiégé
tu	assiégeras	tu	auras	assiégé
il	assiégera	il	aura	assiégé
nous	assiégerons	n.	aurons	assiégé
vous	assiégerez	v.	aurez	assiégé
ils	assiégeront	ils	auront	assiégé

SUBJONCTIF

Présent		*Passé*		
que j'	assiège	que j'	aie	assiégé
que tu	assièges	que tu	aies	assiégé
qu'il	assiège	qu'il	ait	assiégé
que n.	assiégions	que n.	ayons	assiégé
que v.	assiégiez	que v.	ayez	assiégé
qu'ils	assiègent	qu'ils	aient	assiégé

Imparfait		*Plus-que-parfait*		
que j'	assiégeasse	que j'	eusse	assiégé
que tu	assiégeasses	que tu	eusses	assiégé
qu'il	assiégeât	qu'il	eût	assiégé
que n.	assiégeassions	que n.	eussions	assiégé
que v.	assiégeassiez	que v.	eussiez	assiégé
qu'ils	assiégeassent	qu'ils	eussent	assiégé

IMPERATIF

Présent	*Passé*	
assiège	aie	assiégé
assiégeons	ayons	assiégé
assiégez	ayez	assiégé

CONDITIONNEL

Présent		*Passé 1re forme*		
j'	assiégerais	j'	aurais	assiégé
tu	assiégerais	tu	aurais	assiégé
il	assiégerait	il	aurait	assiégé
n.	assiégerions	n.	aurions	assiégé
v.	assiégeriez	v.	auriez	assiégé
ils	assiégeraient	ils	auraient	assiégé

Passé 2e forme		
j'	eusse	assiégé
tu	eusses	assiégé
il	eût	assiégé
n.	eussions	assiégé
v.	eussiez	assiégé
ils	eussent	assiégé

INFINITIF

Présent	*Passé*
assiéger	avoir assiégé

PARTICIPE

Présent	*Passé*
assiégeant	assiégé, ée ayant assiégé

Dans les verbes en **-éger :**

1. L'**é** du radical se change en **è** devant un **e muet** (sauf au futur et au conditionnel).
2. Pour conserver partout le son du **g** doux, on maintient l'**e** après le **g** devant les voyelles **a** et **o.**

15

VERBES EN -IER : APPRÉCIER

INDICATIF

Présent	*Passé composé*	
j' apprécie	j' ai	apprécié
tu apprécies	tu as	apprécié
il apprécie	il a	apprécié
n. apprécions	n. avons	apprécié
v. appréciez	v. avez	apprécié
ils apprécient	ils ont	apprécié

Imparfait	*Plus-que-parfait*	
j' appréciais	j' avais	apprécié
tu appréciais	tu avais	apprécié
il appréciait	il avait	apprécié
n. appréciions	n. avions	apprécié
v. appréciiez	v. aviez	apprécié
ils appréciaient	ils avaient	apprécié

Passé simple	*Passé antérieur*	
j' appréciai	j' eus	apprécié
tu apprécias	tu eus	apprécié
il apprécia	il eut	apprécié
n. appréciâmes	n. eûmes	apprécié
v. appréciâtes	v. eûtes	apprécié
ils apprécièrent	ils eurent	apprécié

Futur simple	*Futur antérieur*	
j' apprécierai	j' aurai	apprécié
tu apprécieras	tu auras	apprécié
il appréciera	il aura	apprécié
n. apprécierons	n. aurons	apprécié
v. apprécierez	v. aurez	apprécié
ils apprécieront	ils auront	apprécié

SUBJONCTIF

Présent	*Passé*	
que j' apprécie	que j' aie	apprécié
que tu apprécies	que tu aies	apprécié
qu'il apprécie	qu'il ait	apprécié
que n. appréciions	que n. ayons	apprécié
que v. appréciiez	que v. ayez	apprécié
qu'ils apprécient	qu'ils aient	apprécié

Imparfait	*Plus-que-parfait*	
que j' appréciasse	que j' eusse	apprécié
que tu appréciasses	que tu eusses	apprécié
qu'il appréciât	qu'il eût	apprécié
que n. appréciassions	que n. eussions	apprécié
que v. appréciassiez	que v. eussiez	apprécié
qu'ils appréciassent	qu'ils eussent	apprécié

IMPERATIF

Présent	*Passé*
apprécie	aie apprécié
apprécions	ayons apprécié
appréciez	ayez apprécié

CONDITIONNEL

Présent	*Passé 1re forme*	
j' apprécierais	j' aurais	apprécié
tu apprécierais	tu aurais	apprécié
il apprécierait	il aurait	apprécié
n. apprécierions	n. aurions	apprécié
v. apprécieriez	v. auriez	apprécié
ils apprécieraient	ils auraient	apprécié

Passé 2e forme	
j' eusse	apprécié
tu eusses	apprécié
il eût	apprécié
n. eussions	apprécié
v. eussiez	apprécié
ils eussent	apprécié

INFINITIF

Présent	*Passé*
apprécier	avoir apprécié

PARTICIPE

Présent	*Passé*
appréciant	apprécié, ée ayant apprécié

Ces verbes n'offrent d'autre particularité que les deux **i** à la 1re et à la 2e personne du pluriel de l'imparfait de l'indicatif et du présent du subjonctif : *appréciions, appréciiez.* Ces deux **i** proviennent de la rencontre de l'**i** final du radical qui se maintient dans toute la conjugaison, avec l'**i** initial de la terminaison.

INDICATIF

Présent	*Passé composé*
je paie	j' ai payé
tu paies	tu as payé
il paie	il a payé
nous payons	n. avons payé
vous payez	v. avez payé
ils paient	ils ont payé
ou	***Plus-que-parfait***
je paye	j' avais payé
tu payes	tu avais payé
il paye	il avait payé
nous payons	n. avions payé
vous payez	v. aviez payé
ils payent	ils avaient payé
Imparfait	***Passé antérieur***
je payais	j' eus payé
tu payais	tu eus payé
il payait	il eut payé
nous payions	n. eûmes payé
vous payiez	v. eûtes payé
ils payaient	ils eurent payé
Passé simple	***Futur antérieur***
je payai	j' aurai payé
tu payas	tu auras payé
il paya	il aura payé
nous payâmes	n. aurons payé
vous payâtes	v. aurez payé
ils payèrent	ils auront payé
Futur simple	*ou*
je paierai	je payerai
tu paieras	tu payeras
il paiera	il payera
nous paierons	nous payerons
vous paierez	vous payerez
ils paieront	ils payeront

SUBJONCTIF

Présent	*Passé*
que je paie	que j' aie payé
que tu paies	que tu aies payé
qu'il paie	qu'il ait payé
que n. payions	que n. ayons payé
que v. payiez	que v. ayez payé
qu'ils paient	qu'ils aient payé
ou	***Plus-que-parfait***
que je paye	que j' eusse payé
que tu payes	que tu eusses payé
qu'il paye	qu'il eût payé
que n. payions	que n. eussions payé
que v. payiez	que v. eussiez payé
qu'ils payent	qu'ils eussent payé
Imparfait	
que je payasse	
que tu payasses	
qu'il payât	
que n. payassions	
que v. payassiez	
qu'ils payassent	

IMPERATIF

Présent	*Passé*
paye ou paie	aie payé
payons	ayons payé
payez	ayez payé

CONDITIONNEL

Présent	*ou*
je paierais	je payerais
tu paierais	tu payerais
il paierait	il payerait
n. paierions	n. payerions
v. paieriez	v. payeriez
ils paieraient	ils payeraient
Passé 1re forme	***Passé 2e forme***
j' aurais payé	j' eusse payé
tu aurais payé	tu eusses payé
il aurait payé, etc.	il eût payé, etc.

INFINITIF

Présent : payer
Passé : avoir payé

PARTICIPE

Présent : payant
Passé : payé, ée
ayant payé

Les verbes en **-ayer** peuvent : 1. conserver l'**y** dans toute la conjugaison; 2. remplacer l'**y** par un **i** devant un **e muet,** c'est-à-dire devant les terminaisons : **e, es, ent, erai, erais :** *je paye* (prononcer *pey*) ou *je paie* (prononcer *pé*). Remarquer la présence de l'**i** après **y** aux deux premières personnes du pluriel à l'imparfait de l'indicatif et au présent du subjonctif. Les verbes en **-eyer (grasseyer, longueyer, faseyer, capeyer)** conservent l'**y** dans toute la conjugaison. On ajoute au radical sur **-ey-** les terminaisons du verbe **aimer** (6).

17

VERBES EN **-OYER** ET **-UYER : BROYER**

INDICATIF

Présent		***Passé composé***		
je	broie	j'	ai	broyé
tu	broies	tu	as	broyé
il	broie	il	a	broyé
nous	broyons	n.	avons	broyé
vous	broyez	v.	avez	broyé
ils	broient	ils	ont	broyé

Imparfait		***Plus-que-parfait***		
je	broyais	j'	avais	broyé
tu	broyais	tu	avais	broyé
il	broyait	il	avait	broyé
nous	broyions	n.	avions	broyé
vous	broyiez	v.	aviez	broyé
ils	broyaient	ils	avaient	broyé

Passé simple		***Passé antérieur***		
je	broyai	j'	eus	broyé
tu	broyas	tu	eus	broyé
il	broya	il	eut	broyé
nous	broyâmes	n.	eûmes	broyé
vous	broyâtes	v.	eûtes	broyé
ils	broyèrent	ils	eurent	broyé

Futur simple		***Futur antérieur***		
je	broierai	j'	aurai	broyé
tu	broieras	tu	auras	broyé
il	broiera	il	aura	broyé
nous	broierons	n.	aurons	broyé
vous	broierez	v.	aurez	broyé
ils	broieront	ils	auront	broyé

SUBJONCTIF

Présent		***Passé***		
que je	broie	que j'	aie	broyé
que tu	broies	que tu	aies	broyé
qu'il	broie	qu'il	ait	broyé
que n.	broyions	que n.	ayons	broyé
que v.	broyiez	que v.	ayez	broyé
qu'ils	broient	qu'ils	aient	broyé

Imparfait		***Plus-que-parfait***		
que je	broyasse	que j'	eusse	broyé
que tu	broyasses	que tu	eusses	broyé
qu'il	broyât	qu'il	eût	broyé
que n.	broyassions	que n.	eussions	broyé
que v.	broyassiez	que v.	eussiez	broyé
qu'ils	broyassent	qu'ils	eussent	broyé

IMPERATIF

Présent	***Passé***	
broie	aie	broyé
broyons	ayons	broyé
broyez	ayez	broyé

CONDITIONNEL

Présent		***Passé 1re forme***		
je	broierais	j'	aurais	broyé
tu	broierais	tu	aurais	broyé
il	broierait	il	aurait	broyé
n.	broierions	n.	aurions	broyé
v.	broieriez	v.	auriez	broyé
ils	broieraient	ils	auraient	broyé

Passé 2e forme		
j'	eusse	broyé
tu	eusses	broyé
il	eût	broyé
n.	eussions	broyé
v.	eussiez	broyé
ils	eussent	broyé

INFINITIF / PARTICIPE

INFINITIF ***Présent***	***Passé***	PARTICIPE ***Présent***	***Passé***
broyer	avoir broyé	broyant	broyé, ée ayant broyé

Les verbes en **-oyer** et **-uyer** changent l'**y** du radical en **i** devant un **e muet** (terminaisons **e, es, ent, erai, erais).** *Exception :* **envoyer** et **renvoyer,** qui sont irréguliers au futur et au conditionnel (v. page suivante). Remarquer la présence de l'**i** après **y** aux deux premières personnes du pluriel à l'imparfait de l'indicatif et au présent du subjonctif.

INDICATIF

Présent		*Passé composé*		
j'	envoie	j'	ai	envoyé
tu	envoies	tu	as	envoyé
il	envoie	il	a	envoyé
nous	envoyons	n.	avons	envoyé
vous	envoyez	v.	avez	envoyé
ils	envoient	ils	ont	envoyé

Imparfait		*Plus-que-parfait*		
j'	envoyais	j'	avais	envoyé
tu	envoyais	tu	avais	envoyé
il	envoyait	il	avait	envoyé
nous	envoyions	n.	avions	envoyé
vous	envoyiez	v.	aviez	envoyé
ils	envoyaient	ils	avaient	envoyé

Passé simple		*Passé antérieur*		
j'	envoyai	j'	eus	envoyé
tu	envoyas	tu	eus	envoyé
il	envoya	il	eut	envoyé
nous	envoyâmes	n.	eûmes	envoyé
vous	envoyâtes	v.	eûtes	envoyé
ils	envoyèrent	ils	eurent	envoyé

Futur simple		*Futur antérieur*		
j'	enverrai	j'	aurai	envoyé
tu	enverras	tu	auras	envoyé
il	enverra	il	aura	envoyé
nous	enverrons	n.	aurons	envoyé
vous	enverrez	v.	aurez	envoyé
ils	enverront	ils	auront	envoyé

SUBJONCTIF

Présent		*Passé*		
que j'	envoie	que j'	aie	envoyé
que tu	envoies	que tu	aies	envoyé
qu'il	envoie	qu'il	ait	envoyé
que n.	envoyions	que n.	ayons	envoyé
que v.	envoyiez	que v.	ayez	envoyé
qu'ils	envoient	qu'ils	aient	envoyé

Imparfait		*Plus-que-parfait*		
que j'	envoyasse	que j'	eusse	envoyé
que tu	envoyasses	que tu	eusses	envoyé
qu'il	envoyât	qu'il	eût	envoyé
que n.	envoyassions	que n.	eussions	envoyé
que v.	envoyassiez	que v.	eussiez	envoyé
qu'ils	envoyassent	qu'ils	eussent	envoyé

IMPERATIF

Présent	*Passé*	
envoie	aie	envoyé
envoyons	ayons	envoyé
envoyez	ayez	envoyé

CONDITIONNEL

Présent		*Passé 1re forme*		
j'	enverrais	j'	aurais	envoyé
tu	enverrais	tu	aurais	envoyé
il	enverrait	il	aurait	envoyé
n.	enverrions	n.	aurions	envoyé
v.	enverriez	v.	auriez	envoyé
ils	enverraient	ils	auraient	envoyé

Passé 2e forme		
j'	eusse	envoyé
tu	eusses	envoyé
il	eût	envoyé
n.	eussions	envoyé
v.	eussiez	envoyé
ils	eussent	envoyé

INFINITIF

Présent	*Passé*
envoyer	avoir envoyé

PARTICIPE

Présent	*Passé*
envoyant	envoyé, ée ayant envoyé

Ainsi se conjugue **renvoyer**

19 ■■

VERBES EN -IR/ISSANT : FINIR

Infinitif présent en **-ir**; participe présent en **-issant**[1]

INDICATIF

Présent		*Passé composé*		
je	finis	j'	ai	fini
tu	finis	tu	as	fini
il	finit	il	a	fini
nous	finissons	n.	avons	fini
vous	finissez	v.	avez	fini
ils	finissent	ils	ont	fini

Imparfait		*Plus-que-parfait*		
je	finissais	j'	avais	fini
tu	finissais	tu	avais	fini
il	finissait	il	avait	fini
nous	finissions	n.	avions	fini
vous	finissiez	v.	aviez	fini
ils	finissaient	ils	avaient	fini

Passé simple		*Passé antérieur*		
je	finis	j'	eus	fini
tu	finis	tu	eus	fini
il	finit	il	eut	fini
nous	finîmes	n.	eûmes	fini
vous	finîtes	v.	eûtes	fini
ils	finirent	ils	eurent	fini

Futur simple		*Futur antérieur*		
je	finirai	j'	aurai	fini
tu	finiras	tu	auras	fini
il	finira	il	aura	fini
nous	finirons	n.	aurons	fini
vous	finirez	v.	aurez	fini
ils	finiront	ils	auront	fini

SUBJONCTIF

Présent		*Passé*		
que je	finisse	que j'	aie	fini
que tu	finisses	que tu	aies	fini
qu'il	finisse	qu'il	ait	fini
que n.	finissions	que n.	ayons	fini
que v.	finissiez	que v.	ayez	fini
qu'ils	finissent	qu'ils	aient	fini

Imparfait		*Plus-que-parfait*		
que je	finisse	que j'	eusse	fini
que tu	finisses	que tu	eusses	fini
qu'il	finît	qu'il	eût	fini
que n.	finissions	que n.	eussions	fini
que v.	finissiez	que v.	eussiez	fini
qu'ils	finissent	qu'ils	eussent	fini

IMPERATIF

Présent	*Passé*	
finis	aie	fini
finissons	ayons	fini
finissez	ayez	fini

CONDITIONNEL

Présent		*Passé 1re forme*		
je	finirais	j'	aurais	fini
tu	finirais	tu	aurais	fini
il	finirait	il	aurait	fini
n.	finirions	n.	aurions	fini
v.	finiriez	v.	auriez	fini
ils	finiraient	ils	auraient	fini

Passé 2e forme		
j'	eusse	fini
tu	eusses	fini
il	eût	fini
n.	eussions	fini
v.	eussiez	fini
ils	eussent	fini

INFINITIF

Présent	*Passé*
finir	avoir fini

PARTICIPE

Présent	*Passé*
finissant	fini, ie ayant fini

1. Ainsi se conjuguent environ 300 verbes en **-ir, -issant,** qui, avec les verbes en **-er,** forment la conjugaison vivante. Les verbes **obéir** et **désobéir** (intransitifs à l'actif) ont gardé, d'une ancienne construction transitive, un passif : *«sera-t-elle obéie?».*

INDICATIF

Présent		*Passé composé*		
je	hais	j'	ai	haï
tu	hais	tu	as	haï
il	hait	il	a	haï
nous	haïssons	n.	avons	haï
vous	haïssez	v.	avez	haï
ils	haïssent	ils	ont	haï

Imparfait		*Plus-que-parfait*		
je	haïssais	j'	avais	haï
tu	haïssais	tu	avais	haï
il	haïssait	il	avait	haï
nous	haïssions	n.	avions	haï
vous	haïssiez	v.	aviez	haï
ils	haïssaient	ils	avaient	haï

Passé simple		*Passé antérieur*		
je	haïs	j'	eus	haï
tu	haïs	tu	eus	haï
il	haït	il	eut	haï
nous	haïmes	n.	eûmes	haï
vous	haïtes	v.	eûtes	haï
ils	haïrent	ils	eurent	haï

Futur simple		*Futur antérieur*		
je	haïrai	j'	aurai	haï
tu	haïras	tu	auras	haï
il	haïra	il	aura	haï
nous	haïrons	n.	aurons	haï
vous	haïrez	v.	aurez	haï
ils	haïront	ils	auront	haï

SUBJONCTIF

Présent		*Passé*		
que je	haïsse	que j'	aie	haï
que tu	haïsses	que tu	aies	haï
qu'il	haïsse	qu'il	ait	haï
que n.	haïssions	que n.	ayons	haï
que v.	haïssiez	que v.	ayez	haï
qu'ils	haïssent	qu'ils	aient	haï

Imparfait		*Plus-que-parfait*		
que je	haïsse	que j'	eusse	haï
que tu	haïsses	que tu	eusses	haï
qu'il	haït	qu'il	eût	haï
que n.	haïssions	que n.	eussions	haï
que v.	haïssiez	que v.	eussiez	haï
qu'ils	haïssent	qu'ils	eussent	haï

IMPERATIF

Présent	*Passé*	
hais	aie	haï
haïssons	ayons	haï
haïssez	ayez	haï

CONDITIONNEL

Présent		*Passé 1re forme*		
je	haïrais	j'	aurais	haï
tu	haïrais	tu	aurais	haï
il	haïrait	il	aurait	haï
n.	haïrions	n.	aurions	haï
v.	haïriez	v.	auriez	haï
ils	haïraient	ils	auraient	haï

Passé 2e forme		
j'	eusse	haï
tu	eusses	haï
il	eût	haï
n.	eussions	haï
v.	eussiez	haï
ils	eussent	haï

INFINITIF

Présent	*Passé*
haïr	avoir haï

PARTICIPE

Présent	*Passé*
haïssant	haï, ïe ayant haï

Haïr est le seul verbe de cette terminaison ; il prend un tréma sur l'**i** dans toute sa conjugaison, excepté aux trois personnes du singulier du présent de l'indicatif, et à la deuxième personne du singulier de l'impératif. Le tréma exclut l'accent circonflexe au passé simple et au subjonctif imparfait.

TROISIÈME GROUPE

Le 3e groupe comprend :

1. **Le verbe aller** (tableau 22).
2. **Les verbes en -ir** qui ont le participe présent en **-ant,** et non en **-issant** (tableaux 23 à 37).
3. **Tous les verbes en -oir** (tableaux 38 à 52).
4. **Tous les verbes en -re** (tableaux 53 à 82).

Les soixante et un tableaux suivants permettent de conjuguer les quelque trois cent cinquante verbes du 3e groupe dont la liste est donnée pages 118 et 119; ils y sont classés par terminaisons et par référence au verbe type dont ils épousent les particularités de conjugaison. Ainsi se trouve exactement circonscrite cette conjugaison morte qui par sa complexité et ses singularités constitue la difficulté majeure du système verbal français.

Trois traits généraux peuvent cependant en être dégagés.

1. Le passé simple, dans le 3e groupe, est tantôt en *is : je fis, je dormis,* tantôt en *us : je valus; tenir* et *venir* font : *je tins, je vins.*

2. Le participe passé est tantôt en *i : dormi, senti, servi,* tantôt en *u : valu, tenu, venu,* etc. Dans un certain nombre de verbes appartenant à ce groupe, le participe passé n'a pas à proprement parler de terminaison et n'est qu'une modification du radical : *né, pris, fait, dit,* etc.

3. Au présent de l'indicatif, de l'impératif, du subjonctif, on observe parfois une alternance vocalique qui oppose aux autres personnes les 1re et 2e personnes du pluriel : *nous* **te***nons, vous* **te***nez,* alternant avec *je* **tien***s, tu* **tien***s, il* **tien***t, ils* **tien***nent.* Cette modification du radical s'explique par le fait qu'en latin l'accent tonique frappait tantôt le radical (*ám-o :* radical fort), tantôt la terminaison (*am-ámus :* radical faible). Comme les syllabes ont évolué différemment selon qu'elles étaient accentuées ou atones, tous les verbes français devraient présenter une alternance de ce type. Mais l'analogie a généralisé tantôt le radical fort (*j'aime, nous aimons* au lieu de *nous amons*), plus rarement le radical faible (*nous trouvons, je trouve* au lieu de *je treuve*). Cependant, d'assez nombreux verbes ont gardé trace de cette alternance tonique, rarement au 1er groupe : *je sème, nous semons,* plus fréquemment au 3e : voir entre autres : *j'acquiers/nous acquérons, je reçois/nous recevons, je meurs/nous mourons, je bois/nous buvons, je fais/nous faisons* (prononcé *fe*). Il n'est, pour s'en rendre compte, que de parcourir les tableaux suivants où les premières personnes du singulier et du pluriel, notées en bleu, soulignent cette particularité.

INDICATIF

Présent		*Passé composé*		
je	vais	je	suis	allé
tu	vas	tu	es	allé
il	va	il	est	allé
nous	allons	n.	sommes	allés
vous	allez	v.	êtes	allés
ils	vont	ils	sont	allés

Imparfait		*Plus-que-parfait*		
j'	allais	j'	étais	allé
tu	allais	tu	étais	allé
il	allait	il	était	allé
nous	allions	n.	étions	allés
vous	alliez	v.	étiez	allés
ils	allaient	ils	étaient	allés

Passé simple		*Passé antérieur*		
j'	allai	je	fus	allé
tu	allas	tu	fus	allé
il	alla	il	fut	allé
nous	allâmes	n.	fûmes	allés
vous	allâtes	v.	fûtes	allés
ils	allèrent	ils	furent	allés

Futur simple		*Futur antérieur*		
j'	irai	je	serai	allé
tu	iras	tu	seras	allé
il	ira	il	sera	allé
nous	irons	n.	serons	allés
vous	irez	v.	serez	allés
ils	iront	ils	seront	allés

SUBJONCTIF

Présent		*Passé*		
que j'	aille	que je	sois	allé
que tu	ailles	que tu	sois	allé
qu'il	aille	qu'il	soit	allé
que n.	allions	que n.	soyons	allés
que v.	alliez	que v.	soyez	allés
qu'ils	aillent	qu'ils	soient	allés

Imparfait		*Plus-que-parfait*		
que j'	allasse	que je	fusse	allé
que tu	allasses	que tu	fusses	allé
qu'il	allât	qu'il	fût	allé
que n.	allassions	que n.	fussions	allés
que v.	allassiez	que v.	fussiez	allés
qu'ils	allassent	qu'ils	fussent	allés

IMPERATIF

Présent	*Passé*	
va	sois	allé
allons	soyons	allés
allez	soyez	allés

CONDITIONNEL

Présent		*Passé 1re forme*		
j'	irais	je	serais	allé
tu	irais	tu	serais	allé
il	irait	il	serait	allé
n.	irions	n.	serions	allés
v.	iriez	v.	seriez	allés
ils	iraient	ils	seraient	allés

Passé 2e forme

je	fusse	allé
tu	fusses	allé
il	fût	allé
n.	fussions	allés
v.	fussiez	allés
ils	fussent	allés

INFINITIF

Présent	*Passé*
aller	être allé

PARTICIPE

Présent	*Passé*
allant	allé, ée étant allé

Le verbe **aller** se conjugue sur trois radicaux distincts : le radical **va** *(je vais, tu vas, il va,* impératif : *va)*; le radical **-ir** au futur et au conditionnel : *j'irai, j'irais;* ailleurs, le radical de l'infinitif **all-.** A l'impératif, devant le pronom adverbial **y** non suivi d'un infinitif, **va** prend un **s** : *vas-y,* mais : *va y mettre bon ordre.* A la forme interrogative on écrit : *va-t-il?* comme *aima-t-il?* **S'en aller** se conjugue comme **aller.** Aux temps composés, on met l'auxiliaire **être** entre *en* et *allé : je m'en suis allé,* et non *je me suis en allé.* L'impératif est : *va-t'en* (avec élision de l'*e* du pronom réfléchi **te**), *allons-nous-en, allez-vous-en.*

23 VERBES EN **-ENIR : TENIR**

INDICATIF

Présent		***Passé composé***		
je	tiens	j'	ai	tenu
tu	tiens	tu	as	tenu
il	tient	il	a	tenu
nous	tenons	n.	avons	tenu
vous	tenez	v.	avez	tenu
ils	tiennent	ils	ont	tenu

Imparfait		***Plus-que-parfait***		
je	tenais	j'	avais	tenu
tu	tenais	tu	avais	tenu
il	tenait	il	avait	tenu
nous	tenions	n.	avions	tenu
vous	teniez	v.	aviez	tenu
ils	tenaient	ils	avaient	tenu

Passé simple		***Passé antérieur***		
je	tins	j'	eus	tenu
tu	tins	tu	eus	tenu
il	tint	il	eut	tenu
nous	tînmes	n.	eûmes	tenu
vous	tîntes	v.	eûtes	tenu
ils	tinrent	ils	eurent	tenu

Futur simple		***Futur antérieur***		
je	tiendrai	j'	aurai	tenu
tu	tiendras	tu	auras	tenu
il	tiendra	il	aura	tenu
nous	tiendrons	n.	aurons	tenu
vous	tiendrez	v.	aurez	tenu
ils	tiendront	ils	auront	tenu

SUBJONCTIF

Présent		***Passé***		
que je	tienne	que j'	aie	tenu
que tu	tiennes	que tu	aies	tenu
qu'il	tienne	qu'il	ait	tenu
que n.	tenions	que n.	ayons	tenu
que v.	teniez	que v.	ayez	tenu
qu'ils	tiennent	qu'ils	aient	tenu

Imparfait		***Plus-que-parfait***		
que je	tinsse	que j'	eusse	tenu
que tu	tinsses	que tu	eusses	tenu
qu'il	tînt	qu'il	eût	tenu
que n.	tinssions	que n.	eussions	tenu
que v.	tinssiez	que v.	eussiez	tenu
qu'ils	tinssent	qu'ils	eussent	tenu

IMPERATIF

Présent	***Passé***	
tiens	aie	tenu
tenons	ayons	tenu
tenez	ayez	tenu

CONDITIONNEL

Présent		***Passé 1re forme***		
je	tiendrais	j'	aurais	tenu
tu	tiendrais	tu	aurais	tenu
il	tiendrait	il	aurait	tenu
n.	tiendrions	n.	aurions	tenu
v.	tiendriez	v.	auriez	tenu
ils	tiendraient	ils	auraient	tenu

Passé 2e forme		
j'	eusse	tenu
tu	eusses	tenu
il	eût	tenu
n.	eussions	tenu
v.	eussiez	tenu
ils	eussent	tenu

INFINITIF

Présent	***Passé***
tenir	avoir tenu

PARTICIPE

Présent	***Passé***
tenant	tenu, ue ayant tenu

Ainsi se conjuguent **tenir, venir** et leurs composés (page 118). **Venir** et ses composés prennent l'auxiliaire **être,** sauf *circonvenir, prévenir, subvenir.*
Advenir n'est employé qu'à la 3e personne du singulier et du pluriel; les temps composés se forment avec l'auxiliaire **être :** *il est advenu.* D'**avenir** ne subsistent que le nom et l'adjectif *(avenant).*

INDICATIF

Présent		*Passé composé*		
j'	acquiers	j'	ai	acquis
tu	acquiers	tu	as	acquis
il	acquiert	il	a	acquis
nous	acquérons	n.	avons	acquis
vous	acquérez	v.	avez	acquis
ils	acquièrent	ils	ont	acquis

Imparfait		*Plus-que-parfait*		
j'	acquérais	j'	avais	acquis
tu	acquérais	tu	avais	acquis
il	acquérait	il	avait	acquis
nous	acquérions	n.	avions	acquis
vous	acquériez	v.	aviez	acquis
ils	acquéraient	ils	avaient	acquis

Passé simple		*Passé antérieur*		
j'	acquis	j'	eus	acquis
tu	acquis	tu	eus	acquis
il	acquit	il	eut	acquis
nous	acquîmes	n.	eûmes	acquis
vous	acquîtes	v.	eûtes	acquis
ils	acquirent	ils	eurent	acquis

Futur simple		*Futur antérieur*		
j'	acquerrai	j'	aurai	acquis
tu	acquerras	tu	auras	acquis
il	acquerra	il	aura	acquis
nous	acquerrons	n.	aurons	acquis
vous	acquerrez	v.	aurez	acquis
ils	acquerront	ils	auront	acquis

SUBJONCTIF

Présent		*Passé*		
que j'	acquière	que j'	aie	acquis
que tu	acquières	que tu	aies	acquis
qu'il	acquière	qu'il	ait	acquis
que n.	acquérions	que n.	ayons	acquis
que v.	acquériez	que v.	ayez	acquis
qu'ils	acquièrent	qu'ils	aient	acquis

Imparfait		*Plus-que-parfait*		
que j'	acquisse	que j'	eusse	acquis
que tu	acquisses	que tu	eusses	acquis
qu'il	acquît	qu'il	eût	acquis
que n.	acquissions	que n.	eussions	acquis
que v.	acquissiez	que v.	eussiez	acquis
qu'ils	acquissent	qu'ils	eussent	acquis

IMPERATIF

Présent	*Passé*	
acquiers	aie	acquis
acquérons	ayons	acquis
acquérez	ayez	acquis

CONDITIONNEL

Présent		*Passé 1re forme*		
j'	acquerrais	j'	aurais	acquis
tu	acquerrais	tu	aurais	acquis
il	acquerrait	il	aurait	acquis
n.	acquerrions	n.	aurions	acquis
v.	acquerriez	v.	auriez	acquis
ils	acquerraient	ils	auraient	acquis

Passé 2e forme		
j'	eusse	acquis
tu	eusses	acquis
il	eût	acquis
n.	eussions	acquis
v.	eussiez	acquis
ils	eussent	acquis

INFINITIF

Présent	*Passé*
acquérir	avoir acquis

PARTICIPE

Présent	*Passé*
acquérant	acquis, ise ayant acquis

Ainsi se conjuguent les composés de **quérir** (page 118).
Acquérir. Ne pas confondre le participe substantivé **acquis** *(avoir de l'acquis)* avec le substantif verbal **acquit** de **acquitter** *(par acquit, pour acquit).*
Noter la subsistance d'une forme ancienne dans la locution «à enquerre» (infinitif).

25 VERBES EN -TIR : SENTIR

INDICATIF

Présent		Passé composé		
je	sens	j'	ai	senti
tu	sens	tu	as	senti
il	sent	il	a	senti
nous	sentons	n.	avons	senti
vous	sentez	v.	avez	senti
ils	sentent	ils	ont	senti

Imparfait		Plus-que-parfait		
je	sentais	j'	avais	senti
tu	sentais	tu	avais	senti
il	sentait	il	avait	senti
nous	sentions	n.	avions	senti
vous	sentiez	v.	aviez	senti
ils	sentaient	ils	avaient	senti

Passé simple		Passé antérieur		
je	sentis	j'	eus	senti
tu	sentis	tu	eus	senti
il	sentit	il	eut	senti
nous	sentîmes	n.	eûmes	senti
vous	sentîtes	v.	eûtes	senti
ils	sentirent	ils	eurent	senti

Futur simple		Futur antérieur		
je	sentirai	j'	aurai	senti
tu	sentiras	tu	auras	senti
il	sentira	il	aura	senti
nous	sentirons	n.	aurons	senti
vous	sentirez	v.	aurez	senti
ils	sentiront	ils	auront	senti

SUBJONCTIF

Présent		Passé		
que je	sente	que j'	aie	senti
que tu	sentes	que tu	aies	senti
qu'il	sente	qu'il	ait	senti
que n.	sentions	que n.	ayons	senti
que v.	sentiez	que v.	ayez	senti
qu'ils	sentent	qu'ils	aient	senti

Imparfait		Plus-que-parfait		
que je	sentisse	que j'	eusse	senti
que tu	sentisses	que tu	eusses	senti
qu'il	sentît	qu'il	eût	senti
que n.	sentissions	que n.	eussions	senti
que v.	sentissiez	que v.	eussiez	senti
qu'ils	sentissent	qu'ils	eussent	senti

IMPERATIF

Présent	Passé	
sens	aie	senti
sentons	ayons	senti
sentez	ayez	senti

CONDITIONNEL

Présent		Passé 1re forme		
je	sentirais	j'	aurais	senti
tu	sentirais	tu	aurais	senti
il	sentirait	il	aurait	senti
n.	sentirions	n.	aurions	senti
v.	sentiriez	v.	auriez	senti
ils	sentiraient	ils	auraient	senti

Passé 2e forme		
j'	eusse	senti
tu	eusses	senti
il	eût	senti
n.	eussions	senti
v.	eussiez	senti
ils	eussent	senti

INFINITIF

Présent	Passé
sentir	avoir senti

PARTICIPE

Présent	Passé
sentant	senti, ie ayant senti

Ainsi se conjuguent **mentir, sentir, partir, se repentir, sortir** et leurs composés (page 118). Le participe passé *menti* est invariable, mais *démenti, ie* s'accorde. **Départir,** employé d'ordinaire à la forme pronominale **se départir,** se conjugue normalement comme **partir,** *i : je me dépars..., je me départais..., se départant.* On peut regretter que de bons auteurs, sous l'influence sans doute de **répartir,** écrivent : *il se départissait, se départissant* et au présent de l'indicatif, *il se départit.*

INDICATIF

Présent		*Passé composé*		
je	vêts	j'	ai	vêtu
tu	vêts	tu	as	vêtu
il	vêt	il	a	vêtu
nous	vêtons	n.	avons	vêtu
vous	vêtez	v.	avez	vêtu
ils	vêtent	ils	ont	vêtu

Imparfait		*Plus-que-parfait*		
je	vêtais	j'	avais	vêtu
tu	vêtais	tu	avais	vêtu
il	vêtait	il	avait	vêtu
nous	vêtions	n.	avions	vêtu
vous	vêtiez	v.	aviez	vêtu
ils	vêtaient	ils	avaient	vêtu

Passé simple		*Passé antérieur*		
je	vêtis	j'	eus	vêtu
tu	vêtis	tu	eus	vêtu
il	vêtit	il	eut	vêtu
nous	vêtîmes	n.	eûmes	vêtu
vous	vêtîtes	v.	eûtes	vêtu
ils	vêtirent	ils	eurent	vêtu

Futur simple		*Futur antérieur*		
je	vêtirai	j'	aurai	vêtu
tu	vêtiras	tu	auras	vêtu
il	vêtira	il	aura	vêtu
nous	vêtirons	n.	aurons	vêtu
vous	vêtirez	v.	aurez	vêtu
ils	vêtiront	ils	auront	vêtu

SUBJONCTIF

Présent		*Passé*		
que je	vête	que j'	aie	vêtu
que tu	vêtes	que tu	aies	vêtu
qu'il	vête	qu'il	ait	vêtu
que n.	vêtions	que n.	ayons	vêtu
que v.	vêtiez	que v.	ayez	vêtu
qu'ils	vêtent	qu'ils	aient	vêtu

Imparfait		*Plus-que-parfait*		
que je	vêtisse	que j'	eusse	vêtu
que tu	vêtisses	que tu	eusses	vêtu
qu'il	vêtît	qu'il	eût	vêtu
que n.	vêtissions	que n.	eussions	vêtu
que v.	vêtissiez	que v.	eussiez	vêtu
qu'ils	vêtissent	qu'ils	eussent	vêtu

IMPERATIF

Présent	*Passé*	
vêts	aie	vêtu
vêtons	ayons	vêtu
vêtez	ayez	vêtu

CONDITIONNEL

Présent		*Passé 1re forme*		
je	vêtirais	j'	aurais	vêtu
tu	vêtirais	tu	aurais	vêtu
il	vêtirait	il	aurait	vêtu
n.	vêtirions	n.	aurions	vêtu
v.	vêtiriez	v.	auriez	vêtu
ils	vêtiraient	ils	auraient	vêtu

Passé 2e forme

j'	eusse	vêtu
tu	eusses	vêtu
il	eût	vêtu
n.	eussions	vêtu
v.	eussiez	vêtu
ils	eussent	vêtu

INFINITIF

Présent	*Passé*
vêtir	avoir vêtu

PARTICIPE

Présent	*Passé*
vêtant	vêtu ue ayant vêtu

Ainsi se conjuguent **dévêtir** et **revêtir**
Le singulier du présent de l'indicatif et de l'impératif de *vêtir* est peu usité, car un grand nombre d'écrivains conjuguent curieusement ce verbe sur **finir :** *Dieu leur a refusé le cocotier qui ombrage, loge,* **vêtit,** *nourrit et abreuve les enfants de Brahma* (VOLTAIRE). *Les sauvages vivaient et* **se vêtissaient** *du produit de leurs chasses* (CHATEAUBRIAND). *Comme un fils de Morven,* **me vêtissant** *d'orages...* (LAMARTINE). Ce serait faire preuve d'un rigorisme excessif que de ne pas accueillir des formes aussi autorisées à côté des formes un peu sourdes : *vêt, vêtent,* etc. Cependant, dans les composés, les formes primitives sont seules admises : *il revêt, il revêtait, revêtant.*

27 VERBES EN -VRIR OU -FRIR : COUVRIR

INDICATIF

Présent		*Passé composé*		
je	couvre	j'	ai	couvert
tu	couvres	tu	as	couvert
il	couvre	il	a	couvert
nous	couvrons	n.	avons	couvert
vous	couvrez	v.	avez	couvert
ils	couvrent	ils	ont	couvert

Imparfait		*Plus-que-parfait*		
je	couvrais	j'	avais	couvert
tu	couvrais	tu	avais	couvert
il	couvrait	il	avait	couvert
nous	couvrions	n.	avions	couvert
vous	couvriez	v.	aviez	couvert
ils	couvraient	ils	avaient	couvert

Passé simple		*Passé antérieur*		
je	couvris	j'	eus	couvert
tu	couvris	tu	eus	couvert
il	couvrit	il	eut	couvert
nous	couvrîmes	n.	eûmes	couvert
vous	couvrîtes	v.	eûtes	couvert
ils	couvrirent	ils	eurent	couvert

Futur simple		*Futur antérieur*		
je	couvrirai	j'	aurai	couvert
tu	couvriras	tu	auras	couvert
il	couvrira	il	aura	couvert
nous	couvrirons	n.	aurons	couvert
vous	couvrirez	v.	aurez	couvert
ils	couvriront	ils	auront	couvert

SUBJONCTIF

Présent		*Passé*		
que je	couvre	que j'	aie	couvert
que tu	couvres	que tu	aies	couvert
qu'il	couvre	qu'il	ait	couvert
que n.	couvrions	que n.	ayons	couvert
que v.	couvriez	que v.	ayez	couvert
qu'ils	couvrent	qu'ils	aient	couvert

Imparfait		*Plus-que-parfait*		
que je	couvrisse	que j'	eusse	couvert
que tu	couvrisses	que tu	eusses	couvert
qu'il	couvrît	qu'il	eût	couvert
que n.	couvrissions	que n.	eussions	couvert
que v.	couvrissiez	que v.	eussiez	couvert
qu'ils	couvrissent	qu'ils	eussent	couvert

IMPERATIF

Présent	*Passé*	
couvre	aie	couvert
couvrons	ayons	couvert
couvrez	ayez	couvert

CONDITIONNEL

Présent		*Passé 1re forme*		
je	couvrirais	j'	aurais	couvert
tu	couvrirais	tu	aurais	couvert
il	couvrirait	il	aurait	couvert
n.	couvririons	n.	aurions	couvert
v.	couvririez	v.	auriez	couvert
ils	couvriraient	ils	auraient	couvert

Passé 2e forme		
j'	eusse	couvert
tu	eusses	couvert
il	eût	couvert
n.	eussions	couvert
v.	eussiez	couvert
ils	eussent	couvert

INFINITIF

Présent	*Passé*
couvrir	avoir couvert

PARTICIPE

Présent	*Passé*
couvrant	couvert, te ayant couvert

Ainsi se conjuguent **couvrir, ouvrir, souffrir** et leurs composés (page 118). Remarquer l'analogie des terminaisons du présent de l'indicatif, de l'impératif et du subjonctif avec celles des verbes du 1er groupe.

INDICATIF

Présent		Passé composé		
je	cueille	j'	ai	cueilli
tu	cueilles	tu	as	cueilli
il	cueille	il	a	cueilli
nous	cueillons	n.	avons	cueilli
vous	cueillez	v.	avez	cueilli
ils	cueillent	ils	ont	cueilli

Imparfait		Plus-que-parfait		
je	cueillais	j'	avais	cueilli
tu	cueillais	tu	avais	cueilli
il	cueillait	il	avait	cueilli
nous	cueillions	n.	avions	cueilli
vous	cueilliez	v.	aviez	cueilli
ils	cueillaient	ils	avaient	cueilli

Passé simple		Passé antérieur		
je	cueillis	j'	eus	cueilli
tu	cueillis	tu	eus	cueilli
il	cueillit	il	eut	cueilli
nous	cueillîmes	n.	eûmes	cueilli
vous	cueillîtes	v.	eûtes	cueilli
ils	cueillirent	ils	eurent	cueilli

Futur simple		Futur antérieur		
je	cueillerai	j'	aurai	cueilli
tu	cueilleras	tu	auras	cueilli
il	cueillera	il	aura	cueilli
nous	cueillerons	n.	aurons	cueilli
vous	cueillerez	v.	aurez	cueilli
ils	cueilleront	ils	auront	cueilli

SUBJONCTIF

Présent		Passé		
que je	cueille	que j'	aie	cueilli
que tu	cueilles	que tu	aies	cueilli
qu'il	cueille	qu'il	ait	cueilli
que n.	cueillions	que n.	ayons	cueilli
que v.	cueilliez	que v.	ayez	cueilli
qu'ils	cueillent	qu'ils	aient	cueilli

Imparfait		Plus-que-parfait		
que je	cueillisse	que j'	eusse	cueilli
que tu	cueillisses	que tu	eusses	cueilli
qu'il	cueillît	qu'il	eût	cueilli
que n.	cueillissions	que n.	eussions	cueilli
que v.	cueillissiez	que v.	eussiez	cueilli
qu'ils	cueillissent	qu'ils	eussent	cueilli

IMPERATIF

Présent	Passé	
cueille	aie	cueilli
cueillons	ayons	cueilli
cueillez	ayez	cueilli

CONDITIONNEL

Présent		Passé 1re forme		
je	cueillerais	j'	aurais	cueilli
tu	cueillerais	tu	aurais	cueilli
il	cueillerait	il	aurait	cueilli
n.	cueillerions	n.	aurions	cueilli
v.	cueilleriez	v.	auriez	cueilli
ils	cueilleraient	ils	auraient	cueilli

Passé 2e forme		
j'	eusse	cueilli
tu	eusses	cueilli
il	eût	cueilli
n.	eussions	cueilli
v.	eussiez	cueilli
ils	eussent	cueilli

INFINITIF

Présent	Passé
cueillir	avoir cueilli

PARTICIPE

Présent	Passé
cueillant	cueilli, ie ayant cueilli

Ainsi se conjuguent **accueillir** et **recueillir.** Remarquer l'analogie des terminaisons de ce verbe avec celles du 1er groupe, en particulier au futur et au conditionnel : *je cueillerai* comme *j'aimerai.* (Mais le passé simple est *je cueillis,* différent de *j'aimai.*)

29

VERBES EN -**AILLIR : ASSAILLIR**

INDICATIF

Présent		*Passé composé*		
j'	assaille	j'	ai	assailli
tu	assailles	tu	as	assailli
il	assaille	il	a	assailli
nous	assaillons	n.	avons	assailli
vous	assaillez	v.	avez	assailli
ils	assaillent	ils	ont	assailli

Imparfait		*Plus-que-parfait*		
j'	assaillais	j'	avais	assailli
tu	assaillais	tu	avais	assailli
il	assaillait	il	avait	assailli
nous	assaillions	n.	avions	assailli
vous	assailliez	v.	aviez	assailli
ils	assaillaient	ils	avaient	assailli

Passé simple		*Passé antérieur*		
j'	assaillis	j'	eus	assailli
tu	assaillis	tu	eus	assailli
il	assaillit	il	eut	assailli
nous	assaillîmes	n.	eûmes	assailli
vous	assaillîtes	v.	eûtes	assailli
ils	assaillirent	ils	eurent	assailli

Futur simple		*Futur antérieur*		
j'	assaillirai	j'	aurai	assailli
tu	assailliras	tu	auras	assailli
il	assaillira	il	aura	assailli
nous	assaillirons	n.	aurons	assailli
vous	assaillirez	v.	aurez	assailli
ils	assailliront	ils	auront	assailli

SUBJONCTIF

Présent		*Passé*		
que j'	assaille	que j'	aie	assailli
que tu	assailles	que tu	aies	assailli
qu'il	assaille	qu'il	ait	assailli
que n.	assaillions	que n.	ayons	assailli
que v.	assailliez	que v.	ayez	assailli
qu'ils	assaillent	qu'ils	aient	assailli

Imparfait		*Plus-que-parfait*		
que j'	assaillisse	que j'	eusse	assailli
que tu	assaillisses	que tu	eusses	assailli
qu'il	assaillît	qu'il	eût	assailli
que n.	assaillissions	que n.	eussions	assailli
que v.	assaillissiez	que v.	eussiez	assailli
qu'ils	assaillissent	qu'ils	eussent	assailli

IMPERATIF

Présent	*Passé*	
assaille	aie	assailli
assaillons	ayons	assailli
assaillez	ayez	assailli

CONDITIONNEL

Présent		*Passé 1re forme*		
j'	assaillirais	j'	aurais	assailli
tu	assaillirais	tu	aurais	assailli
il	assaillirait	il	aurait	assailli
n.	assaillirions	n.	aurions	assailli
v.	assailliriez	v.	auriez	assailli
ils	assailliraient	ils	auraient	assailli

Passé 2e forme		
j'	eusse	assailli
tu	eusses	assailli
il	eût	assailli
n.	eussions	assailli
v.	eussiez	assailli
ils	eussent	assailli

INFINITIF

Présent	*Passé*
assaillir	avoir assailli

PARTICIPE

Présent	*Passé*
assaillant	assailli, ie ayant assailli

Ainsi se conjuguent **tressaillir** et **défaillir** (cf. page suivante). Si quelques prosateurs célèbres ont risqué : *il tressaillit* au présent de l'indicatif, le dictionnaire de l'Académie, loin d'autoriser cette licence, écrit : *il tressaille de joie.* De même pour *je tressaillerai,* en regard de la seule forme correcte : *je tressaillirai.*
Saillir fait au futur : *il saillera, ils sailleront.*

INDICATIF

Présent	Passé composé
je faux *tu faux* *il faut* *nous faillons* *vous faillez* *ils faillent*	j'ai failli, etc.
Imparfait	**Plus-que-parfait**
je faillais, etc.	j'avais failli, etc.
Passé simple	**Passé antérieur**
je faillis, etc	j'eus failli, etc.
Futur simple	**Futur antérieur**
je faillirai, etc. *je faudrai,* etc.	j'aurai failli, etc.

SUBJONCTIF

Présent	Passé
que je faille, etc.	que j'aie failli, etc.
Imparfait	**Plus-que-parfait**
que je faillisse, etc.	que j'eusse failli, etc

IMPERATIF

Présent

...

CONDITIONNEL

Présent	Passé 1re forme
je faillirais, etc. *je faudrais,* etc.	j'aurais failli

INFINITIF

Présent	Passé
faillir	avoir failli

PARTICIPE

Présent	Passé
faillant	failli, ayant failli

■ Les formes en italique sont tout à fait désuètes. Le verbe **faillir** a trois emplois distincts :
1. Au sens de *manquer de* (semi-auxiliaire suivi de l'infinitif) : *j'ai failli tomber,* il n'a que le passé simple : *je faillis;* le futur, le conditionnel : *je faillirai, je faillirais,* et tous les temps composés du type *avoir failli.*
2. Ces mêmes formes sont usitées avec le sens de *manquer à : je ne faillirai jamais à mon devoir.* Mais dans cette acception on trouve aussi quelques formes archaïques qui survivent surtout dans des expressions toutes faites comme *le cœur me faut.* Ce sont elles qui sont signalées ci-dessus en italique.
3. Enfin, au sens de *faire faillite,* ce verbe se conjugue régulièrement sur *finir,* mais il est pratiquement inusité, sauf au participe passé employé comme nom : *un failli.*

■ Le verbe **défaillir** se conjugue sur **assaillir** (tableau 29), mais certains temps sont moins usités (présent de l'indicatif au singulier, futur simple et conditionnel présent), sans doute en raison d'hésitations dues à la persistance de formes archaïques aujourd'hui sorties de l'usage, telles que :
Indicatif présent : je défaus, tu défaus, il défaut. *Indicatif futur :* je défaudrai, etc.
Mais ces hésitations n'autorisent pas à dire au futur : *je défaillerai* pour *je défaillirai.*

31

VERBE **BOUILLIR**

INDICATIF

Présent

je	bous
tu	bous
il	bout
nous	bouillons
vous	bouillez
ils	bouillent

Passé composé

j'	ai	bouilli
tu	as	bouilli
il	a	bouilli
n.	avons	bouilli
v.	avez	bouilli
ils	ont	bouilli

Imparfait

je	bouillais
tu	bouillais
il	bouillait
nous	bouillions
vous	bouilliez
ils	bouillaient

Plus-que-parfait

j'	avais	bouilli
tu	avais	bouilli
il	avait	bouilli
n.	avions	bouilli
v.	aviez	bouilli
ils	avaient	bouilli

Passé simple

je	bouillis
tu	bouillis
il	bouillit
nous	bouillîmes
vous	bouillîtes
ils	bouillirent

Passé antérieur

j'	eus	bouilli
tu	eus	bouilli
il	eut	bouilli
n.	eûmes	bouilli
v.	eûtes	bouilli
ils	eurent	bouilli

Futur simple

je	bouillirai
tu	bouilliras
il	bouillira
nous	bouillirons
vous	bouillirez
ils	bouilliront

Futur antérieur

j'	aurai	bouilli
tu	auras	bouilli
il	aura	bouilli
n.	aurons	bouilli
v.	aurez	bouilli
ils	auront	bouilli

SUBJONCTIF

Présent

que je	bouille
que tu	bouilles
qu'il	bouille
que n.	bouillions
que v.	bouilliez
qu'ils	bouillent

Passé

que j'	aie	bouilli
que tu	aies	bouilli
qu'il	ait	bouilli
que n.	ayons	bouilli
que v.	ayez	bouilli
qu'ils	aient	bouilli

Imparfait

que je	bouillisse
que tu	bouillisses
qu'il	bouillît
que n.	bouillissions
que v.	bouillissiez
qu'ils	bouillissent

Plus-que-parfait

que j'	eusse	bouilli
que tu	eusses	bouilli
qu'il	eût	bouilli
que n.	eussions	bouilli
que v.	eussiez	bouilli
qu'ils	eussent	bouilli

IMPERATIF

Présent

bous
bouillons
bouillez

Passé

aie bouilli
ayons bouilli
ayez bouilli

CONDITIONNEL

Présent

je	bouillirais
tu	bouillirais
il	bouillirait
n.	bouillirions
v.	bouilliriez
ils	bouilliraient

Passé 1re forme

j'	aurais	bouilli
tu	aurais	bouilli
il	aurait	bouilli
n.	aurions	bouilli
v.	auriez	bouilli
ils	auraient	bouilli

Passé 2e forme

j'	eusse	bouilli
tu	eusses	bouilli
il	eût	bouilli
n.	eussions	bouilli
v.	eussiez	bouilli
ils	eussent	bouilli

INFINITIF

Présent

bouillir

Passé

avoir bouilli

PARTICIPE

Présent

bouillant

Passé

bouilli, ie
ayant bouilli

INDICATIF

Présent	*Passé composé*
je dors	j' ai dormi
tu dors	tu as dormi
il dort	il a dormi
nous dormons	n. avons dormi
vous dormez	v. avez dormi
ils dorment	ils ont dormi

Imparfait	*Plus-que-parfait*
je dormais	j' avais dormi
tu dormais	tu avais dormi
il dormait	il avait dormi
nous dormions	n. avions dormi
vous dormiez	v. aviez dormi
ils dormaient	ils avaient dormi

Passé simple	*Passé antérieur*
je dormis	j' eus dormi
tu dormis	tu eus dormi
il dormit	il eut dormi
nous dormîmes	n. eûmes dormi
vous dormîtes	v. eûtes dormi
ils dormirent	ils eurent dormi

Futur simple	*Futur antérieur*
je dormirai	j' aurai dormi
tu dormiras	tu auras dormi
il dormira	il aura dormi
nous dormirons	n. aurons dormi
vous dormirez	v. aurez dormi
ils dormiront	ils auront dormi

SUBJONCTIF

Présent	*Passé*
que je dorme	que j' aie dormi
que tu dormes	que tu aies dormi
qu'il dorme	qu'il ait dormi
que n. dormions	que n. ayons dormi
que v. dormiez	que v. ayez dormi
qu'ils dorment	qu'ils aient dormi

Imparfait	*Plus-que-parfait*
que je dormisse	que j' eusse dormi
que tu dormisses	que tu eusses dormi
qu'il dormît	qu'il eût dormi
que n. dormissions	que n. eussions dormi
que v. dormissiez	que v. eussiez dormi
qu'ils dormissent	qu'ils eussent dormi

IMPERATIF

Présent	*Passé*
dors	aie dormi
dormons	ayons dormi
dormez	ayez dormi

CONDITIONNEL

Présent	*Passé 1re forme*	*Passé 2e forme*
je dormirais	j' aurais dormi	j' eusse dormi
tu dormirais	tu aurais dormi	tu eusses dormi
il dormirait	il aurait dormi	il eût dormi
n. dormirions	n. aurions dormi	n. eussions dormi
v. dormiriez	v. auriez dormi	v. eussiez dormi
ils dormiraient	ils auraient dormi	ils eussent dormi

INFINITIF

Présent	*Passé*
dormir	avoir dormi

PARTICIPE

Présent	*Passé*
dormant	dormi ayant dormi

Ainsi se conjuguent **redormir, endormir, rendormir.**
Ces deux derniers verbes ont le participe passé variable, *endormi, endormie,* alors que le féminin *dormie* est pratiquement inusité.

33

VERBE **COURIR**

INDICATIF

Présent		*Passé composé*		
je	cours	j'	ai	couru
tu	cours	tu	as	couru
il	court	il	a	couru
nous	courons	n.	avons	couru
vous	courez	v.	avez	couru
ils	courent	ils	ont	couru

Imparfait		*Plus-que-parfait*		
je	courais	j'	avais	couru
tu	courais	tu	avais	couru
il	courait	il	avait	couru
nous	courions	n.	avions	couru
vous	couriez	v.	aviez	couru
ils	couraient	ils	avaient	couru

Passé simple		*Passé antérieur*		
je	courus	j'	eus	couru
tu	courus	tu	eus	couru
il	courut	il	eut	couru
nous	courûmes	n.	eûmes	couru
vous	courûtes	v.	eûtes	couru
ils	coururent	ils	eurent	couru

Futur simple		*Futur antérieur*		
je	courrai	j'	aurai	couru
tu	courras	tu	auras	couru
il	courra	il	aura	couru
nous	courrons	n.	aurons	couru
vous	courrez	v.	aurez	couru
ils	courront	ils	auront	couru

SUBJONCTIF

Présent		*Passé*		
que je	coure	que j'	aie	couru
que tu	coures	que tu	aies	couru
qu'il	coure	qu'il	ait	couru
que n.	courions	que n.	ayons	couru
que v.	couriez	que v.	ayez	couru
qu'ils	courent	qu'ils	aient	couru

Imparfait		*Plus-que-parfait*		
que je	courusse	que j'	eusse	couru
que tu	courusses	que tu	eusses	couru
qu'il	courût	qu'il	eût	couru
que n.	courussions	que n.	eussions	couru
que v.	courussiez	que v.	eussiez	couru
qu'ils	courussent	qu'ils	eussent	couru

IMPERATIF

Présent	*Passé*	
cours	aie	couru
courons	ayons	couru
courez	ayez	couru

CONDITIONNEL

Présent		*Passé 1re forme*		
je	courrais	j'	aurais	couru
tu	courrais	tu	aurais	couru
il	courrait	il	aurait	couru
n.	courrions	n.	aurions	couru
v.	courriez	v.	auriez	couru
ils	courraient	ils	auraient	couru

Passé 2e forme		
j'	eusse	couru
tu	eusses	couru
il	eût	couru
n.	eussions	couru
v.	eussiez	couru
ils	eussent	couru

INFINITIF

Présent	*Passé*
courir	avoir couru

PARTICIPE

Présent	*Passé*
courant	couru, ue ayant couru

Ainsi se conjuguent les composés de **courir** (page 118).
Remarquer les deux **r** du futur et du conditionnel présent : *je courrai, je courrais.*

INDICATIF

Présent		*Passé composé*		
je	meurs	je	suis	mort
tu	meurs	tu	es	mort
il	meurt	il	est	mort
nous	mourons	n.	sommes	morts
vous	mourez	v.	êtes	morts
ils	meurent	ils	sont	morts

Imparfait		*Plus-que-parfait*		
je	mourais	j'	étais	mort
tu	mourais	tu	étais	mort
il	mourait	il	était	mort
nous	mourions	n.	étions	morts
vous	mouriez	v.	étiez	morts
ils	mouraient	ils	étaient	morts

Passé simple		*Passé antérieur*		
je	mourus	je	fus	mort
tu	mourus	tu	fus	mort
il	mourut	il	fut	mort
nous	mourûmes	n.	fûmes	morts
vous	mourûtes	v.	fûtes	morts
ils	moururent	ils	furent	morts

Futur simple		*Futur antérieur*		
je	mourrai	je	serai	mort
tu	mourras	tu	seras	mort
il	mourra	il	sera	mort
nous	mourrons	n.	serons	morts
vous	mourrez	v.	serez	morts
ils	mourront	ils	seront	morts

SUBJONCTIF

Présent		*Passé*		
que je	meure	que je	sois	mort
que tu	meures	que tu	sois	mort
qu'il	meure	qu'il	soit	mort
que n.	mourions	que n.	soyons	morts
que v.	mouriez	que v.	soyez	morts
qu'ils	meurent	qu'ils	soient	morts

Imparfait		*Plus-que-parfait*		
que je	mourusse	que je	fusse	mort
que tu	mourusses	que tu	fusses	mort
qu'il	mourût	qu'il	fût	mort
que n.	mourussions	que n.	fussions	morts
que v.	mourussiez	que v.	fussiez	morts
qu'ils	mourussent	qu'ils	fussent	morts

IMPERATIF

Présent	*Passé*	
meurs	sois	mort
mourons	soyons	morts
mourez	soyez	morts

CONDITIONNEL

Présent		*Passé 1re forme*		
je	mourrais	je	serais	mort
tu	mourrais	tu	serais	mort
il	mourrait	il	serait	mort
n.	mourrions	n.	serions	morts
v.	mourriez	v.	seriez	morts
ils	mourraient	ils	seraient	morts

Passé 2e forme

je	fusse	mort
tu	fusses	mort
il	fût	mort
n.	fussions	morts
v.	fussiez	morts
ils	fussent	morts

INFINITIF

Présent	*Passé*
mourir	être mort

PARTICIPE

Présent	*Passé*
mourant	mort, te étant mort

Remarquer le redoublement de l'**r** au futur et au conditionnel présent : *Je mourrai, je mourrais,* et l'emploi de l'auxiliaire **être** dans les temps composés.

35

VERBE **SERVIR**

INDICATIF

Présent		*Passé composé*		
je	sers	j'	ai	servi
tu	sers	tu	as	servi
il	sert	il	a	servi
nous	servons	n.	avons	servi
vous	servez	v.	avez	servi
ils	servent	ils	ont	servi

Imparfait		*Plus-que-parfait*		
je	servais	j'	avais	servi
tu	servais	tu	avais	servi
il	servait	il	avait	servi
nous	servions	n.	avions	servi
vous	serviez	v.	aviez	servi
ils	servaient	ils	avaient	servi

Passé simple		*Passé antérieur*		
je	servis	j'	eus	servi
tu	servis	tu	eus	servi
il	servit	il	eut	servi
nous	servîmes	n.	eûmes	servi
vous	servîtes	v.	eûtes	servi
ils	servirent	ils	eurent	servi

Futur simple		*Futur antérieur*		
je	servirai	j'	aurai	servi
tu	serviras	tu	auras	servi
il	servira	il	aura	servi
nous	servirons	n.	aurons	servi
vous	servirez	v.	aurez	servi
ils	serviront	ils	auront	servi

SUBJONCTIF

Présent		*Passé*		
que je	serve	que j'	aie	servi
que tu	serves	que tu	aies	servi
qu'il	serve	qu'il	ait	servi
que n.	servions	que n.	ayons	servi
que v.	serviez	que v.	ayez	servi
qu'ils	servent	qu'ils	aient	servi

Imparfait		*Plus-que-parfait*		
que je	servisse	que j'	eusse	servi
que tu	servisses	que tu	eusses	servi
qu'il	servît	qu'il	eût	servi
que n.	servissions	que n.	eussions	servi
que v.	servissiez	que v.	eussiez	servi
qu'ils	servissent	qu'ils	eussent	servi

IMPERATIF

Présent	*Passé*	
sers	aie	servi
servons	ayons	servi
servez	ayez	servi

CONDITIONNEL

Présent		*Passé 1re forme*		
je	servirais	j'	aurais	servi
tu	servirais	tu	aurais	servi
il	servirait	il	aurait	servi
n.	servirions	n.	aurions	servi
v.	serviriez	v.	auriez	servi
ils	serviraient	ils	auraient	servi

Passé 2e forme		
j'	eusse	servi
tu	eusses	servi
il	eût	servi
n.	eussions	servi
v.	eussiez	servi
ils	eussent	servi

INFINITIF

Présent	*Passé*
servir	avoir servi

PARTICIPE

Présent	*Passé*
servant	servi, ie ayant servi

Ainsi se conjuguent **desservir**, **resservir**. Mais **asservir** se conjugue sur **finir**.

INDICATIF

Présent		***Passé composé***		
je	fuis	j'	ai	fui
tu	fuis	tu	as	fui
il	fuit	il	a	fui
nous	fuyons	n.	avons	fui
vous	fuyez	v.	avez	fui
ils	fuient	ils	ont	fui

Imparfait		***Plus-que-parfait***		
je	fuyais	j'	avais	fui
tu	fuyais	tu	avais	fui
il	fuyait	il	avait	fui
nous	fuyions	n.	avions	fui
vous	fuyiez	v.	aviez	fui
ils	fuyaient	ils	avaient	fui

Passé simple		***Passé antérieur***		
je	fuis	j'	eus	fui
tu	fuis	tu	eus	fui
il	fuit	il	eut	fui
nous	fuîmes	n.	eûmes	fui
vous	fuîtes	v.	eûtes	fui
ils	fuirent	ils	eurent	fui

Futur simple		***Futur antérieur***		
je	fuirai	j'	aurai	fui
tu	fuiras	tu	auras	fui
il	fuira	il	aura	fui
nous	fuirons	n.	aurons	fui
vous	fuirez	v.	aurez	fui
ils	fuiront	ils	auront	fui

SUBJONCTIF

Présent		***Passé***		
que je	fuie	que j'	aie	fui
que tu	fuies	que tu	aies	fui
qu'il	fuie	qu'il	ait	fui
que n.	fuyions	que n.	ayons	fui
que v.	fuyiez	que v.	ayez	fui
qu'ils	fuient	qu'ils	aient	fui

Imparfait		***Plus-que-parfait***		
que je	fuisse	que j'	eusse	fui
que tu	fuisses	que tu	eusses	fui
qu'il	fuît	qu'il	eût	fui
que n.	fuissions	que n.	eussions	fui
que v.	fuissiez	que v.	eussiez	fui
qu'ils	fuissent	qu'ils	eussent	fui

IMPERATIF

Présent	***Passé***	
fuis	aie	fui
fuyons	ayons	fui
fuyez	ayez	fui

CONDITIONNEL

Présent		***Passé 1re forme***		
je	fuirais	j'	aurais	fui
tu	fuirais	tu	aurais	fui
il	fuirait	il	aurait	fui
n.	fuirions	n.	aurions	fui
v.	fuiriez	v.	auriez	fui
ils	fuiraient	ils	auraient	fui

Passé 2e forme

j'	eusse	fui
tu	eusses	fui
il	eût	fui
n.	eussions	fui
v.	eussiez	fui
ils	eussent	fui

INFINITIF

Présent	***Passé***
fuir	avoir fui

PARTICIPE

Présent	***Passé***
fuyant	fui, ie ayant fui

Ainsi se conjugue **s'enfuir**

37

VERBE **OUÏR**

INDICATIF

Présent	***Passé composé***
j' ois *tu ois* *il oit* *nous oyons* *vous oyez* *ils oient*	j' ai ouï
Imparfait	***Plus-que-parfait***
j' oyais	j' avais ouï
Passé simple	***Passé antérieur***
j' ouïs	j' eus ouï
Futur simple	***Futur antérieur***
j' ouïrai *j' orrai* *j' oirai*	j' aurai ouï

SUBJONCTIF

Présent	***Passé***
que j' oie *que tu oies* *qu'il oie* *que n. oyions* *que v. oyiez* *qu'ils oient*	que j' aie ouï
Imparfait	***Plus-que-parfait***
que j' ouïsse	que j' eusse ouï

CONDITIONNEL / **IMPERATIF**

Présent	***Présent***
j'ouïrais *j'orrais* *j'oirais*	*ois* *oyons* *oyez*
Passé 1re forme	
j'aurais ouï	

INFINITIF

Présent	***Passé***
ouïr	avoir ouï

PARTICIPE

Présent	***Passé***
oyant	ouï, ïe ayant ouï

Le verbe **ouïr** a définitivement cédé la place à **entendre.** Il n'est plus employé qu'à l'infinitif et dans l'expression *«par ouï-dire».* La conjugaison archaïque est donnée ci-dessus en italique, excepté pour les formes qui se sont maintenues le plus longtemps. A noter le futur *j'ouïrai,* refait d'après l'infinitif sur le modèle de : **sentir, je sentirai.**

VERBE **GÉSIR**

Ce verbe, qui signifie : *être couché,* n'est plus d'usage qu'aux formes ci-après :

INDICATIF

Présent	***Imparfait***
je gis tu gis il gît nous gisons vous gisez ils gisent	je gisais tu gisais il gisait n. gisions v. gisiez ils gisaient

PARTICIPE

Présent

gisant

On n'emploie guère le verbe **gésir** qu'en parlant des personnes malades ou mortes, et de choses renversées par le temps ou la destruction : *Nous* **gisions** *tous les deux sur le pavé d'un cachot, malades et privés de secours. Son cadavre* **gît** *maintenant dans le tombeau. Des colonnes* **gisant** *éparses* (Académie). Cf. l'inscription funéraire : *ci-gît.*

INDICATIF

Présent	*Passé composé*
je reçois	j' ai reçu
tu reçois	tu as reçu
il reçoit	il a reçu
nous recevons	n. avons reçu
vous recevez	v. avez reçu
ils reçoivent	ils ont reçu

Imparfait	*Plus-que-parfait*
je recevais	j' avais reçu
tu recevais	tu avais reçu
il recevait	il avait reçu
nous recevions	n. avions reçu
vous receviez	v. aviez reçu
ils recevaient	ils avaient reçu

Passé simple	*Passé antérieur*
je reçus	j' eus reçu
tu reçus	tu eus reçu
il reçut	il eut reçu
nous reçûmes	n. eûmes reçu
vous reçûtes	v. eûtes reçu
ils reçurent	ils eurent reçu

Futur simple	*Futur antérieur*
je recevrai	j' aurai reçu
tu recevras	tu auras reçu
il recevra	il aura reçu
nous recevrons	n. aurons reçu
vous recevrez	v. aurez reçu
ils recevront	ils auront reçu

SUBJONCTIF

Présent	*Passé*
que je reçoive	que j' aie reçu
que tu reçoives	que tu aies reçu
qu'il reçoive	qu'il ait reçu
que n. recevions	que n. ayons reçu
que v. receviez	que v. ayez reçu
qu'ils reçoivent	qu'ils aient reçu

Imparfait	*Plus-que-parfait*
que je reçusse	que j' eusse reçu
que tu reçusses	que tu eusses reçu
qu'il reçût	qu'il eût reçu
que n. reçussions	que n. eussions reçu
que v. reçussiez	que v. eussiez reçu
qu'ils reçussent	qu'ils eussent reçu

IMPERATIF

Présent	*Passé*
reçois	aie reçu
recevons	ayons reçu
recevez	ayez reçu

CONDITIONNEL

Présent	*Passé 1re forme*	*Passé 2e forme*
je recevrais	j' aurais reçu	j' eusse reçu
tu recevrais	tu aurais reçu	tu eusses reçu
il recevrait	il aurait reçu	il eût reçu
n. recevrions	n. aurions reçu	n. eussions reçu
v. recevriez	v. auriez reçu	v. eussiez reçu
ils recevraient	ils auraient reçu	ils eussent reçu

INFINITIF

Présent	*Passé*
recevoir	avoir reçu

PARTICIPE

Présent	*Passé*
recevant	reçu, ue ayant reçu

La cédille est placée sous le **c** chaque fois qu'il précède un **o** ou un **u**.
Ainsi se conjuguent **apercevoir, concevoir, décevoir, percevoir.**

39 VERBE **VOIR**

INDICATIF

Présent	*Passé composé*
je vois	j' ai vu
tu vois	tu as vu
il voit	il a vu
nous voyons	n. avons vu
vous voyez	v. avez vu
ils voient	ils ont vu

Imparfait	*Plus-que-parfait*
je voyais	j' avais vu
tu voyais	tu avais vu
il voyait	il avait vu
nous voyions	n. avions vu
vous voyiez	v. aviez vu
ils voyaient	ils avaient vu

Passé simple	*Passé antérieur*
je vis	j' eus vu
tu vis	tu eus vu
il vit	il eut vu
nous vîmes	n. eûmes vu
vous vîtes	v. eûtes vu
ils virent	ils eurent vu

Futur simple	*Futur antérieur*
je verrai	j' aurai vu
tu verras	tu auras vu
il verra	il aura vu
nous verrons	n. aurons vu
vous verrez	v. aurez vu
ils verront	ils auront vu

SUBJONCTIF

Présent	*Passé*
que je voie	que j' aie vu
que tu voies	que tu aies vu
qu'il voie	qu'il ait vu
que n. voyions	que n. ayons vu
que v. voyiez	que v. ayez vu
qu'ils voient	qu'ils aient vu

Imparfait	*Plus-que-parfait*
que je visse	que j' eusse vu
que tu visses	que tu eusses vu
qu'il vît	qu'il eût vu
que n. vissions	que n. eussions vu
que v. vissiez	que v. eussiez vu
qu'ils vissent	qu'ils eussent vu

IMPERATIF

Présent	*Passé*
vois	aie vu
voyons	ayons vu
voyez	ayez vu

CONDITIONNEL

Présent	*Passé 1re forme*	*Passé 2e forme*
je verrais	j' aurais vu	j' eusse vu
tu verrais	tu aurais vu	tu eusses vu
il verrait	il aurait vu	il eût vu
n. verrions	n. aurions vu	n. eussions vu
v. verriez	v. auriez vu	v. eussiez vu
ils verraient	ils auraient vu	ils eussent vu

INFINITIF

Présent	*Passé*
voir	avoir vu

PARTICIPE

Présent	*Passé*
voyant	vu, ue ayant vu

Ainsi se conjuguent **entrevoir, revoir, prévoir.**
Ce dernier fait au futur et au conditionnel présent : *je prévoirai... je prévoirais...*

INDICATIF

Présent	*Passé composé*
je pourvois	j' ai pourvu
tu pourvois	tu as pourvu
il pourvoit	il a pourvu
n. pourvoyons	n. avons pourvu
v. pourvoyez	v. avez pourvu
ils pourvoient	ils ont pourvu

Imparfait	*Plus-que-parfait*
je pourvoyais	j' avais pourvu
tu pourvoyais	tu avais pourvu
il pourvoyait	il avait pourvu
n. pourvoyions	n. avions pourvu
v. pourvoyiez	v. aviez pourvu
ils pourvoyaient	ils avaient pourvu

Passé simple	*Passé antérieur*
je pourvus	j' eus pourvu
tu pourvus	tu eus pourvu
il pourvut	il eut pourvu
n. pourvûmes	n. eûmes pourvu
v. pourvûtes	v. eûtes pourvu
ils pourvurent	ils eurent pourvu

Futur simple	*Futur antérieur*
je pourvoirai	j' aurai pourvu
tu pourvoiras	tu auras pourvu
il pourvoira	il aura pourvu
n. pourvoirons	n. aurons pourvu
v. pourvoirez	v. aurez pourvu
ils pourvoiront	ils auront pourvu

SUBJONCTIF

Présent	*Passé*
que je pourvoie	que j' aie pourvu
que tu pourvoies	que tu aies pourvu
qu'il pourvoie	qu'il ait pourvu
que n. pourvoyions	que n. ayons pourvu
que v. pourvoyiez	que v. ayez pourvu
qu'ils pourvoient	qu'ils aient pourvu

Imparfait	*Plus-que-parfait*
que je pourvusse	que j' eusse pourvu
que tu pourvusses	que tu eusses pourvu
qu'il pourvût	qu'il eût pourvu
que n. pourvussions	que n. eussions pourvu
que v. pourvussiez	que v. eussiez pourvu
qu'ils pourvussent	qu'ils eussent pourvu

IMPERATIF

Présent	*Passé*
pourvois	aie pourvu
pourvoyons	ayons pourvu
pourvoyez	ayez pourvu

CONDITIONNEL

Présent	*Passé 1re forme*
je pourvoirais	j' aurais pourvu
tu pourvoirais	tu aurais pourvu
il pourvoirait	il aurait pourvu
n. pourvoirions	n. aurions pourvu
v. pourvoiriez	v. auriez pourvu
ils pourvoiraient	ils auraient pourvu

Passé 2e forme

j' eusse pourvu
tu eusses pourvu
il eût pourvu
n. eussions pourvu
v. eussiez pourvu
ils eussent pourvu

INFINITIF

Présent	*Passé*
pourvoir	avoir pourvu

PARTICIPE

Présent	*Passé*
pourvoyant	pourvu, ue ayant pourvu

Pourvoir se conjugue comme le verbe simple **voir** (tableau 39) sauf au futur et au conditionnel : *je pourvoirai, je pourvoirais;* au passé simple et au subjonctif imparfait : *je pourvus, que je pourvusse.*

Dépourvoir s'emploie rarement, et seulement au passé simple, à l'infinitif, au participe passé et aux temps composés : *Il le dépourvut de tout.* On l'utilise surtout à la forme pronominale : *Je me suis dépourvu de tout.*

41 VERBE **SAVOIR**

INDICATIF

Présent		*Passé composé*		
je	sais	j'	ai	su
tu	sais	tu	as	su
il	sait	il	a	su
nous	savons	n.	avons	su
vous	savez	v.	avez	su
ils	savent	ils	ont	su

Imparfait		*Plus-que-parfait*		
je	savais	j'	avais	su
tu	savais	tu	avais	su
il	savait	il	avait	su
nous	savions	n.	avions	su
vous	saviez	v.	aviez	su
ils	savaient	ils	avaient	su

Passé simple		*Passé antérieur*		
je	sus	j'	eus	su
tu	sus	tu	eus	su
il	sut	il	eut	su
nous	sûmes	n.	eûmes	su
vous	sûtes	v.	eûtes	su
ils	surent	ils	eurent	su

Futur simple		*Futur antérieur*		
je	saurai	j'	aurai	su
tu	sauras	tu	auras	su
il	saura	il	aura	su
nous	saurons	n.	aurons	su
vous	saurez	v.	aurez	su
ils	sauront	ils	auront	su

SUBJONCTIF

Présent		*Passé*		
que je	sache	que j'	aie	su
que tu	saches	que tu	aies	su
qu'il	sache	qu'il	ait	su
que n.	sachions	que n.	ayons	su
que v.	sachiez	que v.	ayez	su
qu'ils	sachent	qu'ils	aient	su

Imparfait		*Plus-que-parfait*		
que je	susse	que j'	eusse	su
que tu	susses	que tu	eusses	su
qu'il	sût	qu'il	eût	su
que n.	sussions	que n.	eussions	su
que v.	sussiez	que v.	eussiez	su
qu'ils	sussent	qu'ils	eussent	su

IMPERATIF

Présent	*Passé*	
sache	aie	su
sachons	ayons	su
sachez	ayez	su

CONDITIONNEL

Présent		*Passé 1re forme*		
je	saurais	j'	aurais	su
tu	saurais	tu	aurais	su
il	saurait	il	aurait	su
n.	saurions	n.	aurions	su
v.	sauriez	v.	auriez	su
ils	sauraient	ils	auraient	su

Passé 2e forme

j'	eusse	su
tu	eusses	su
il	eût	su
n.	eussions	su
v.	eussiez	su
ils	eussent	su

INFINITIF

Présent	*Passé*
savoir	avoir su

PARTICIPE

Présent	*Passé*
sachant	su, ue ayant su

À noter l'emploi curieux du subjonctif dans les expressions : **je ne sache pas** *qu'il soit venu; il n'est pas venu,* **que je sache.**

INDICATIF

Présent	*Passé composé*
je dois	j' ai dû
tu dois	tu as dû
il doit	il a dû
nous devons	n. avons dû
vous devez	v. avez dû
ils doivent	ils ont dû

Imparfait	*Plus-que-parfait*
je devais	j' avais dû
tu devais	tu avais dû
il devait	il avait dû
nous devions	n. avions dû
vous deviez	v. aviez dû
ils devaient	ils avaient dû

Passé simple	*Passé antérieur*
je dus	j' eus dû
tu dus	tu eus dû
il dut	il eut dû
nous dûmes	n. eûmes dû
vous dûtes	v. eûtes dû
ils durent	ils eurent dû

Futur simple	*Futur antérieur*
je devrai	j' aurai dû
tu devras	tu auras dû
il devra	il aura dû
nous devrons	n. aurons dû
vous devrez	v. aurez dû
ils devront	ils auront dû

SUBJONCTIF

Présent	*Passé*
que je doive	que j' aie dû
que tu doives	que tu aies dû
qu'il doive	qu'il ait dû
que n. devions	que n. ayons dû
que v. deviez	que v. ayez dû
qu'ils doivent	qu'ils aient dû

Imparfait	*Plus-que-parfait*
que je dusse	que j' eusse dû
que tu dusses	que tu eusses dû
qu'il dût	qu'il eût dû
que n. dussions	que n. eussions dû
que v. dussiez	que v. eussiez dû
qu'ils dussent	qu'ils eussent dû

IMPERATIF

Présent	*Passé*
dois	aie dû
devons	ayons dû
devez	ayez dû

CONDITIONNEL

Présent	*Passé 1re forme*	*Passé 2e forme*
je devrais	j' aurais dû	j' eusse dû
tu devrais	tu aurais dû	tu eusses dû
il devrait	il aurait dû	il eût dû
n. devrions	n. aurions dû	n. eussions dû
v. devriez	v. auriez dû	v. eussiez dû
ils devraient	ils auraient dû	ils eussent dû

INFINITIF

Présent	*Passé*
devoir	avoir dû

PARTICIPE

Présent	*Passé*
devant	dû, ue ayant dû

Ainsi se conjuguent **devoir** et **redevoir** qui prennent un accent circonflexe au participe passé *masculin singulier* seulement : *dû, redû.* Mais on écrit sans accent : *due, dus, dues; redue, redus, redues.* L'impératif est peu usité.

43 VERBE **POUVOIR**

INDICATIF

Présent		*Passé composé*		
je	peux	j'	ai	pu
ou je	puis	tu	as	pu
tu	peux	il	a	pu
il	peut	n.	avons	pu
nous	pouvons	v.	avez	pu
vous	pouvez	ils	ont	pu
ils	peuvent			

Imparfait		*Plus-que-parfait*		
je	pouvais	j'	avais	pu
tu	pouvais	tu	avais	pu
il	pouvait	il	avait	pu
nous	pouvions	n.	avions	pu
vous	pouviez	v.	aviez	pu
ils	pouvaient	ils	avaient	pu

Passé simple		*Passé antérieur*		
je	pus	j'	eus	pu
tu	pus	tu	eus	pu
il	put	il	eut	pu
nous	pûmes	n.	eûmes	pu
vous	pûtes	v.	eûtes	pu
ils	purent	ils	eurent	pu

Futur simple		*Futur antérieur*		
je	pourrai	j'	aurai	pu
tu	pourras	tu	auras	pu
il	pourra	il	aura	pu
nous	pourrons	n.	aurons	pu
vous	pourrez	v.	aurez	pu
ils	pourront	ils	auront	pu

SUBJONCTIF

Présent		*Passé*		
que je	puisse	que j'	aie	pu
que tu	puisses	que tu	aies	pu
qu'il	puisse	qu'il	ait	pu
que n.	puissions	que n.	ayons	pu
que v.	puissiez	que v.	ayez	pu
qu'ils	puissent	qu'ils	aient	pu

Imparfait		*Plus-que-parfait*		
que je	pusse	que j'	eusse	pu
que tu	pusses	que tu	eusses	pu
qu'il	pût	qu'il	eût	pu
que n.	pussions	que n.	eussions	pu
que v.	pussiez	que v.	eussiez	pu
qu'ils	pussent	qu'ils	eussent	pu

IMPERATIF

Présent	*Passé*
pas d'impératif	

CONDITIONNEL

Présent		*Passé 1re forme*		
je	pourrais	j'	aurais	pu
tu	pourrais	tu	aurais	pu
il	pourrait	il	aurait	pu
n.	pourrions	n.	aurions	pu
v.	pourriez	v.	auriez	pu
ils	pourraient	ils	auraient	pu

Passé 2e forme		
j'	eusse	pu
tu	eusses	pu
il	eût	pu
n.	eussions	pu
v.	eussiez	pu
ils	eussent	pu

INFINITIF

Présent	*Passé*
pouvoir	avoir pu

PARTICIPE

Présent	*Passé*
pouvant	pu ayant pu

Le verbe **pouvoir** prend deux **r** au futur et au présent du conditionnel, mais, à la différence de **mourir** et **courir,** on n'en prononce qu'un. *Je puis* semble d'un emploi plus distingué que *je peux.* On ne dit pas : *peux-je?* mais *puis-je? Il se peut que* se dit pour *il peut se faire que* au sens de *il peut arriver que, il est possible que,* et cette formule se construit alors normalement avec le subjonctif.

INDICATIF

Présent		*Passé composé*		
je	meus	j'	ai	mû
tu	meus	tu	as	mû
il	meut	il	a	mû
nous	mouvons	n.	avons	mû
vous	mouvez	v.	avez	mû
ils	meuvent	ils	ont	mû

Imparfait		*Plus-que-parfait*		
je	mouvais	j'	avais	mû
tu	mouvais	tu	avais	mû
il	mouvait	il	avait	mû
nous	mouvions	n.	avions	mû
vous	mouviez	v.	aviez	mû
ils	mouvaient	ils	avaient	mû

Passé simple		*Passé antérieur*		
je	mus	j'	eus	mû
tu	mus	tu	eus	mû
il	mut	il	eut	mû
nous	mûmes	n.	eûmes	mû
vous	mûtes	v.	eûtes	mû
ils	murent	ils	eurent	mû

Futur simple		*Futur antérieur*		
je	mouvrai	j'	aurai	mû
tu	mouvras	tu	auras	mû
il	mouvra	il	aura	mû
nous	mouvrons	n.	aurons	mû
vous	mouvrez	v.	aurez	mû
ils	mouvront	ils	auront	mû

SUBJONCTIF

Présent		*Passé*		
que je	meuve	que j'	aie	mû
que tu	meuves	que tu	aies	mû
qu'il	meuve	qu'il	ait	mû
que n.	mouvions	que n.	ayons	mû
que v.	mouviez	que v.	ayez	mû
qu'ils	meuvent	qu'ils	aient	mû

Imparfait		*Plus-que-parfait*		
que je	musse	que j'	eusse	mû
que tu	musses	que tu	eusses	mû
qu'il	mût	qu'il	eût	mû
que n.	mussions	que n.	eussions	mû
que v.	mussiez	que v.	eussiez	mû
qu'ils	mussent	qu'ils	eussent	mû

IMPERATIF

Présent	*Passé*	
meus	aie	mû
mouvons	ayons	mû
mouvez	ayez	mû

CONDITIONNEL

Présent		*Passé 1re forme*		
je	mouvrais	j'	aurais	mû
tu	mouvrais	tu	aurais	mû
il	mouvrait	il	aurait	mû
n.	mouvrions	n.	aurions	mû
v.	mouvriez	v.	auriez	mû
ils	mouvraient	ils	auraient	mû

Passé 2e forme		
j'	eusse	mû
tu	eusses	mû
il	eût	mû
n.	eussions	mû
v.	eussiez	mû
ils	eussent	mû

INFINITIF

Présent	*Passé*
mouvoir	avoir mû

PARTICIPE

Présent	*Passé*
mouvant	mû, ue ayant mû

Émouvoir se conjugue sur **mouvoir,** mais son participe passé masculin singulier *ému* ne prend pas d'accent circonflexe.
Promouvoir se conjugue comme **mouvoir,** mais son participe *promu* ne prend pas d'accent circonflexe au masculin singulier. Ce verbe ne s'emploie guère qu'à l'infinitif, au participe passé et aux temps composés. L'acception publicitaire et commerciale favorise depuis peu les autres formes.

45 VERBE IMPERSONNEL **PLEUVOIR**

INDICATIF

Présent	***Passé composé***
il pleut	il a plu
Imparfait	***Plus-que-parfait***
il pleuvait	il avait plu
Passé simple	***Passé antérieur***
il plut	il eut plu
Futur simple	***Futur antérieur***
il pleuvra	il aura plu

SUBJONCTIF

Présent	***Passé***
qu'il pleuve	qu'il ait plu
Imparfait	***Plus-que-parfait***
qu'il plût	qu'il eût plu

IMPERATIF

pas d'impératif

CONDITIONNEL

Présent	***Passé 1re forme***
il pleuvrait	il aurait plu
	Passé 2e forme
	il eût plu

INFINITIF

Présent	***Passé***
pleuvoir	avoir plu

PARTICIPE

Présent	***Passé***
pleuvant	plu ayant plu

Nota. Quoique impersonnel, ce verbe s'emploie au pluriel, mais dans le sens figuré : **Les coups de fusil** *pleuvent,* **les sarcasmes** *pleuvent* **sur lui, les honneurs** *pleuvaient* **sur sa personne.** De même, son participe présent ne s'emploie qu'au sens figuré : *les coups pleuvant sur lui...*

INDICATIF

Présent	*Passé composé*
il faut	il a fallu
Imparfait	***Plus-que-parfait***
il fallait	il avait fallu
Passé simple	***Passé antérieur***
il fallut	il eut fallu
Futur simple	***Futur antérieur***
il faudra	il aura fallu

SUBJONCTIF

Présent	*Passé*
qu'il faille	qu'il ait fallu
Imparfait	***Plus-que-parfait***
qu'il fallût	qu'il eût fallu

IMPERATIF

pas d'impératif

CONDITIONNEL

Présent	*Passé 1re forme*
il faudrait	il aurait fallu

Passé 2e forme

il eût fallu

INFINITIF

Présent

falloir

PARTICIPE

Passé

fallu

Dans les expressions : *il s'en faut de beaucoup, tant s'en faut, peu s'en faut,* la forme **faut** vient non de **falloir,** mais de **faillir,** au sens de *manquer, faire défaut.*

47

VERBE **VALOIR**

INDICATIF

Présent	*Passé composé*
je vaux	j' ai valu
tu vaux	tu as valu
il vaut	il a valu
nous valons	n. avons valu
vous valez	v. avez valu
ils valent	ils ont valu

Imparfait	*Plus-que-parfait*
je valais	j' avais valu
tu valais	tu avais valu
il valait	il avait valu
nous valions	n. avions valu
vous valiez	v. aviez valu
ils valaient	ils avaient valu

Passé simple	*Passé antérieur*
je valus	j' eus valu
tu valus	tu eus valu
il valut	il eut valu
nous valûmes	n. eûmes valu
vous valûtes	v. eûtes valu
ils valurent	ils eurent valu

Futur simple	*Futur antérieur*
je vaudrai	j' aurai valu
tu vaudras	tu auras valu
il vaudra	il aura valu
nous vaudrons	n. aurons valu
vous vaudrez	v. aurez valu
ils vaudront	ils auront valu

SUBJONCTIF

Présent	*Passé*
que je vaille	que j' aie valu
que tu vailles	que tu aies valu
qu'il vaille	qu'il ait valu
que n. valions	que n. ayons valu
que v. valiez	que v. ayez valu
qu'ils vaillent	qu'ils aient valu

Imparfait	*Plus-que-parfait*
que je valusse	que j' eusse valu
que tu valusses	que tu eusses valu
qu'il valût	qu'il eût valu
que n. valussions	que n. eussions valu
que v. valussiez	que v. eussiez valu
qu'ils valussent	qu'ils eussent valu

IMPERATIF

Présent	*Passé*
vaux	aie valu
valons	ayons valu
valez	ayez valu

CONDITIONNEL

Présent	*Passé 1re forme*	*Passé 2e forme*
je vaudrais	j' aurais valu	j' eusse valu
tu vaudrais	tu aurais valu	tu eusses valu
il vaudrait	il aurait valu	il eût valu
n. vaudrions	n. aurions valu	n. eussions valu
v. vaudriez	v. auriez valu	v. eussiez valu
ils vaudraient	ils auraient valu	ils eussent valu

INFINITIF

Présent	*Passé*
valoir	avoir valu

PARTICIPE

Présent	*Passé*
valant	valu, ue ayant valu

Ainsi se conjuguent **équivaloir, prévaloir, revaloir,** mais au subjonctif présent **prévaloir** fait : *que je prévale... que nous prévalions...*
Il ne faut pas que la coutume prévale sur la raison (Ac.).
À la forme pronominale, le participe passé s'accorde : *Elle s'est prévalue de ses droits.*

INDICATIF

Présent		Passé composé		
je	veux	j'	ai	voulu
tu	veux	tu	as	voulu
il	veut	il	a	voulu
nous	voulons	n.	avons	voulu
vous	voulez	v.	avez	voulu
ils	veulent	ils	ont	voulu

Imparfait		Plus-que-parfait		
je	voulais	j'	avais	voulu
tu	voulais	tu	avais	voulu
il	voulait	il	avait	voulu
nous	voulions	n.	avions	voulu
vous	vouliez	v.	aviez	voulu
ils	voulaient	ils	avaient	voulu

Passé simple		Passé antérieur		
je	voulus	j'	eus	voulu
tu	voulus	tu	eus	voulu
il	voulut	il	eut	voulu
nous	voulûmes	n.	eûmes	voulu
vous	voulûtes	v.	eûtes	voulu
ils	voulurent	ils	eurent	voulu

Futur simple		Futur antérieur		
je	voudrai	j'	aurai	voulu
tu	voudras	tu	auras	voulu
il	voudra	il	aura	voulu
nous	voudrons	n.	aurons	voulu
vous	voudrez	v.	aurez	voulu
ils	voudront	ils	auront	voulu

SUBJONCTIF

Présent		Passé		
que je	veuille	que j'	aie	voulu
que tu	veuilles	que tu	aies	voulu
qu'il	veuille	qu'il	ait	voulu
que n.	voulions	que n.	ayons	voulu
que v.	vouliez	que v.	ayez	voulu
qu'ils	veuillent	qu'ils	aient	voulu

Imparfait		Plus-que-parfait		
que je	voulusse	que j'	eusse	voulu
que tu	voulusses	que tu	eusses	voulu
qu'il	voulût	qu'il	eût	voulu
que n.	voulussions	que n.	eussions	voulu
que v.	voulussiez	que v.	eussiez	voulu
qu'ils	voulussent	qu'ils	eussent	voulu

IMPERATIF

Présent	Passé	
veux (veuille)	aie	voulu
voulons	ayons	voulu
voulez (veuillez)	ayez	voulu

CONDITIONNEL

Présent		Passé 1re forme		
je	voudrais	j'	aurais	voulu
tu	voudrais	tu	aurais	voulu
il	voudrait	il	aurait	voulu
n.	voudrions	n.	aurions	voulu
v.	voudriez	v.	auriez	voulu
ils	voudraient	ils	auraient	voulu

Passé 2e forme		
j'	eusse	voulu
tu	eusses	voulu
il	eût	voulu
n.	eussions	voulu
v.	eussiez	voulu
ils	eussent	voulu

INFINITIF

Présent	Passé
vouloir	avoir voulu

PARTICIPE

Présent	Passé
voulant	voulu, ue ayant voulu

L'impératif *veux, voulons, voulez,* n'est d'usage que dans certaines occasions très rares où l'on engage à s'armer d'une ferme volonté : *Veux donc, malheureux, et tu seras sauvé.* Mais, pour inviter poliment, on dit *veuille, veuillez,* au sens de : *aie, ayez la bonté de* : *Veuillez agréer mes respectueuses salutations.* Au subjonctif présent, les formes primitives : *que nous voulions, que vous vouliez,* reprennent le pas sur : *que nous veuillions, que vous veuilliez,* senties comme anciennes et recherchées.
Avec le pronom adverbial **en** qui donne à ce verbe le sens de : *avoir du ressentiment,* on trouve couramment : *ne m'en veux pas, ne m'en voulez pas,* alors que la langue littéraire préfère *ne m'en veuille pas, ne m'en veuillez pas.*

49 VERBE **ASSEOIR**

INDICATIF

Présent		***Futur simple***	
j'	assieds	j'	assiérai
tu	assieds	tu	assiéras
il	assied	il	assiéra
nous	asseyons	n.	assiérons
vous	asseyez	v.	assiérez
ils	asseyent	ils	assiéront

ou		*ou*	
j'	assois	j'	assoirai
tu	assois	tu	assoiras
il	assoit	il	assoira
nous	assoyons	n.	assoirons
vous	assoyez	v.	assoirez
ils	assoient	ils	assoiront

Imparfait		***Passé composé***		
j'	asseyais	j'	ai	assis
tu	asseyais	tu	as	assis
il	asseyait	il	a	assis
nous	asseyions	n.	avons	assis
vous	asseyiez	v.	avez	assis
ils	asseyaient	ils	ont	assis

ou		***Plus-que-parfait***		
j'	assoyais	j'	avais	assis
tu	assoyais	tu	avais	assis
il	assoyait	il	avait	assis
nous	assoyions	n.	avions	assis
vous	assoyiez	v.	aviez	assis
ils	assoyaient	ils	avaient	assis

Passé simple		***Passé antérieur***		
j'	assis	j'	eus	assis
tu	assis	tu	eus	assis
il	assit	il	eut	assis
nous	assîmes	n.	eûmes	assis
vous	assîtes	v.	eûtes	assis
ils	assirent	ils	eurent	assis

Futur antérieur		
j'	aurai	assis
tu	auras	assis
il	aura	assis
n.	aurons	assis
v.	aurez	assis
ils	auront	assis

SUBJONCTIF

Présent		***Passé***		
que j'	asseye	que j'	aie	assis
que tu	asseyes	que tu	aies	assis
qu'il	asseye	qu'il	ait	assis
que n.	asseyions	que n.	ayons	assis
que v.	asseyiez	que v.	ayez	assis
qu'ils	asseyent	qu'ils	aient	assis

ou	
que j'	assoie
que tu	assoies
qu'il	assoie
que n.	assoyions
que v.	assoyiez
qu'ils	assoient

Imparfait		***Plus-que-parfait***		
que j'	assisse	que j'	eusse	assis
que tu	assisses	que tu	eusses	assis
qu'il	assît	qu'il	eût	assis
que n.	assissions	que n.	eussions	assis
que v.	assissiez	que v.	eussiez	assis
qu'ils	assissent	qu'ils	eussent	assis

IMPERATIF

Présent	*ou*	***Passé***	
assieds	assois	aie	assis
asseyons	assoyons	ayons	assis
asseyez	assoyez	ayez	assis

CONDITIONNEL

Présent		***Passé 1re forme***		
j'	assiérais	j'	aurais	assis
tu	assiérais	tu	aurais	assis
il	assiérait	il	aurait	assis
n.	assiérions	n.	aurions	assis
v.	assiériez	v.	auriez	assis
ils	assiéraient	ils	auraient	assis

ou		***Passé 2e forme***		
j'	assoirais	j'	eusse	assis
tu	assoirais	tu	eusses	assis
il	assoirait	il	eût	assis
n.	assoirions	n.	eussions	assis
v.	assoiriez	v.	eussiez	assis
ils	assoiraient	ils	eussent	assis

INFINITIF		PARTICIPE		
Présent	**Passé**	**Présent**		**Passé**
asseoir	avoir assis	asseyant *ou* assoyant	assis, ise	ayant assis

Ce verbe se conjugue surtout à la forme pronominale : **s'asseoir;** l'infinitif *asseoir* s'orthographie avec un **e** étymologique, à la différence de l'indicatif présent : *j'assois* et futur : *j'assoirai.* Les formes en **ie** et en **ey** sont préférables aux formes en **oi,** moins distinguées. Le futur et le conditionnel : *j'asseyerai... j'asseyerais...,* sont actuellement sortis de l'usage.

VERBE SEOIR : CONVENIR

INDICATIF			SUBJONCTIF
Présent	**Imparfait**	**Futur**	**Présent**
il sied	il seyait	il siéra	qu'il siée
ils siéent	ils seyaient	ils siéront	qu'ils siéent

CONDITIONNEL	INFINITIF	PARTICIPE
Présent	**Présent**	**Présent**
il siérait	seoir	séant (seyant)
ils siéraient		

Remarque : Ce verbe n'a pas de temps composés.

Le verbe **seoir,** dans le sens d'*être assis, prendre séance,* n'existe qu'aux formes suivantes :
PARTICIPE présent : *séant* (employé parfois comme nom : cf. *«sur son séant»*).
PARTICIPE passé : *sis, sise,* qui ne s'emploie plus guère qu'adjectivement en style juridique au lieu de *situé, située : hôtel sis à Paris.*

VERBE MESSEOIR : N'ÊTRE PAS CONVENABLE

INDICATIF			SUBJONCTIF
Présent	**Imparfait**	**Futur**	**Présent**
il messied	il messeyait	il messiéra	qu'il messiée
ils messiéent	ils messeyaient	ils messiéront	qu'ils messiéent

CONDITIONNEL	INFINITIF	PARTICIPE
Présent	**Présent**	**Présent**
il messiérait	messeoir	messéant
ils messiéraient		

Remarque : Ce verbe n'a pas de temps composés.

51

VERBE **SURSEOIR**

INDICATIF

Présent		*Passé composé*		
je	sursois	j'	ai	sursis
tu	sursois	tu	as	sursis
il	sursoit	il	a	sursis
nous	sursoyons	n.	avons	sursis
vous	sursoyez	v.	avez	sursis
ils	sursoient	ils	ont	sursis

Imparfait		*Plus-que-parfait*		
je	sursoyais	j'	avais	sursis
tu	sursoyais	tu	avais	sursis
il	sursoyait	il	avait	sursis
nous	sursoyions	n.	avions	sursis
vous	sursoyiez	v.	aviez	sursis
ils	sursoyaient	ils	avaient	sursis

Passé simple		*Passé antérieur*		
je	sursis	j'	eus	sursis
tu	sursis	tu	eus	sursis
il	sursit	il	eut	sursis
nous	sursîmes	n.	eûmes	sursis
vous	sursîtes	v.	eûtes	sursis
ils	sursirent	ils	eurent	sursis

Futur simple		*Futur antérieur*		
je	surseoirai	j'	aurai	sursis
tu	surseoiras	tu	auras	sursis
il	surseoira	il	aura	sursis
nous	surseoirons	n.	aurons	sursis
vous	surseoirez	v.	aurez	sursis
ils	surseoiront	ils	auront	sursis

SUBJONCTIF

Présent		*Passé*		
que je	sursoie	que j'	aie	sursis
que tu	sursoies	que tu	aies	sursis
qu'il	sursoie	qu'il	ait	sursis
que n.	sursoyions	que n.	ayons	sursis
que v.	sursoyiez	que v.	ayez	sursis
qu'ils	sursoient	qu'ils	aient	sursis

Imparfait		*Plus-que-parfait*		
que je	sursisse	que j'	eusse	sursis
que tu	sursisses	que tu	eusses	sursis
qu'il	sursît	qu'il	eût	sursis
que n.	sursissions	que n.	eussions	sursis
que v.	sursissiez	que v.	eussiez	sursis
qu'ils	sursissent	qu'ils	eussent	sursis

IMPERATIF

Présent	*Passé*	
sursois	aie	sursis
sursoyons	ayons	sursis
sursoyez	ayez	sursis

CONDITIONNEL

Présent		*Passé 1re forme*		
je	surseoirais	j'	aurais	sursis
tu	surseoirais	tu	aurais	sursis
il	surseoirait	il	aurait	sursis
n.	surseoirions	n.	aurions	sursis
v.	surseoiriez	v.	auriez	sursis
ils	surseoiraient	ils	auraient	sursis

Passé 2e forme

j'	eusse	sursis
tu	eusses	sursis
il	eût	sursis
n.	eussions	sursis
v.	eussiez	sursis
ils	eussent	sursis

INFINITIF

Présent	*Passé*
surseoir	avoir sursis

PARTICIPE

Présent	*Passé*
sursoyant	sursis, ise ayant sursis

Surseoir a généralisé les formes en **oi** du verbe **asseoir,** avec cette particularité que l'**e** de l'infinitif se retrouve au futur et au conditionnel : *je surseoirai, je surseoirais.*

VERBE **CHOIR** (temps simples)

INDICATIF

Présent	*Passé simple*	*Futur simple*
je chois	je chus	je choirai
tu chois	il chut	*je cherrai*
il choit		
ils choient		

SUBJONCTIF

Imparfait

qu'il chût

CONDITIONNEL

Présent

je choirais
je cherrais

INFINITIF

Présent

choir

PARTICIPE

Passé

chu, chue

VERBE **ÉCHOIR** (temps simples)

INDICATIF

Présent	*Passé simple*	*Futur simple*
il échoit	il échut	il échoira
il échet	ils échurent	*il écherra*
ils échoient		ils échoiront
ils échéent		*ils écherront*

SUBJONCTIF

Présent : qu'il échoie

Imparfait : qu'il échût

CONDITIONNEL

Présent

il échoirait
il écherrait
ils échoiraient
ils écherraient

INFINITIF

Présent

échoir

PARTICIPE

Présent : échéant

Passé : échu, échue

VERBE **DÉCHOIR** (temps simples)

INDICATIF

Présent	*Passé simple*	*Futur simple*
je déchois	je déchus	je déchoirai, etc.
tu déchois	tu déchus	*je décherrai*
il déchoit	il déchut	
il déchet	nous déchûmes	
n. déchoyons	vous déchûtes	
v. déchoyez	ils déchurent	
ils déchoient		

SUBJONCTIF

Présent

que je déchoie
que n. déchoyions, etc.

Imparfait

que je déchusse, etc.

CONDITIONNEL

Présent

je déchoirais, etc.
je décherrais

INFINITIF

Présent

déchoir

PARTICIPE

Passé

déchu, déchue

Les formes en italique sont tout à fait désuètes. Aux temps composés, **choir** et **échoir** prennent l'auxiliaire **être :** *Il est chu, il est échu.* **Déchoir** utilise tantôt **être,** tantôt **avoir,** selon que l'on veut insister sur l'action ou sur son résultat : *Il* **a** *déchu rapidement; il* **est** *définitivement déchu.*

53

VERBES EN **-DRE : RENDRE**
VERBES EN **-ANDRE, -ENDRE, -ONDRE, -ERDRE, -ORDRE**[1]

INDICATIF

Présent		***Passé composé***		
je	rends	j'	ai	rendu
tu	rends	tu	as	rendu
il	rend	il	a	rendu
nous	rendons	n.	avons	rendu
vous	rendez	v.	avez	rendu
ils	rendent	ils	ont	rendu

Imparfait		***Plus-que-parfait***		
je	rendais	j'	avais	rendu
tu	rendais	tu	avais	rendu
il	rendait	il	avait	rendu
nous	rendions	n.	avions	rendu
vous	rendiez	v.	aviez	rendu
ils	rendaient	ils	avaient	rendu

Passé simple		***Passé antérieur***		
je	rendis	j'	eus	rendu
tu	rendis	tu	eus	rendu
il	rendit	il	eut	rendu
nous	rendîmes	n.	eûmes	rendu
vous	rendîtes	v.	eûtes	rendu
ils	rendirent	ils	eurent	rendu

Futur simple		***Futur antérieur***		
je	rendrai	j'	aurai	rendu
tu	rendras	tu	auras	rendu
il	rendra	il	aura	rendu
nous	rendrons	n.	aurons	rendu
vous	rendrez	v.	aurez	rendu
ils	rendront	ils	auront	rendu

SUBJONCTIF

Présent		***Passé***		
que je	rende	que j'	aie	rendu
que tu	rendes	que tu	aies	rendu
qu'il	rende	qu'il	ait	rendu
que n.	rendions	que n.	ayons	rendu
que v.	rendiez	que v.	ayez	rendu
qu'ils	rendent	qu'ils	aient	rendu

Imparfait		***Plus-que-parfait***		
que je	rendisse	que j'	eusse	rendu
que tu	rendisses	que tu	eusses	rendu
qu'il	rendît	qu'il	eût	rendu
que n.	rendissions	que n.	eussions	rendu
que v.	rendissiez	que v.	eussiez	rendu
qu'ils	rendissent	qu'ils	eussent	rendu

IMPERATIF

Présent	***Passé***	
rends	aie	rendu
rendons	ayons	rendu
rendez	ayez	rendu

CONDITIONNEL

Présent		***Passé 1re forme***		
je	rendrais	j'	aurais	rendu
tu	rendrais	tu	aurais	rendu
il	rendrait	il	aurait	rendu
n.	rendrions	n.	aurions	rendu
v.	rendriez	v.	auriez	rendu
ils	rendraient	ils	auraient	rendu

Passé 2e forme

j'	eusse	rendu
tu	eusses	rendu
il	eût	rendu
n.	eussions	rendu
v.	eussiez	rendu
ils	eussent	rendu

INFINITIF

Présent	***Passé***
rendre	avoir rendu

PARTICIPE

Présent	***Passé***
rendant	rendu ue ayant rendu

1. Voir page 118 la liste des nombreux verbes en **-dre** qui se conjuguent comme **rendre** (sauf **prendre** et ses composés : voir tableau 54). Ainsi se conjuguent en outre les verbes **rompre, corrompre** et **interrompre** dont la seule particularité est de prendre un **t** à la suite du **p** à la 3e personne du singulier de l'indicatif présent : *il rompt.*
Sur le même modèle, sauf pour la 1re et la 2e personne du singulier du présent de l'indicatif et pour l'impératif singulier **(je me fous, fous),** et en remplaçant ailleurs le **d** par un **t,** les verbes **foutre** et **contrefoutre,** qui n'ont ni passé simple, ni passé antérieur à l'indicatif, ni imparfait ni plus-que-parfait au subjonctif.

INDICATIF

Présent		*Passé composé*		
je	prends	j'	ai	pris
tu	prends	tu	as	pris
il	prend	il	a	pris
nous	prenons	n.	avons	pris
vous	prenez	v.	avez	pris
ils	prennent	ils	ont	pris

Imparfait		*Plus-que-parfait*		
je	prenais	j'	avais	pris
tu	prenais	tu	avais	pris
il	prenait	il	avait	pris
nous	prenions	n.	avions	pris
vous	preniez	v.	aviez	pris
ils	prenaient	ils	avaient	pris

Passé simple		*Passé antérieur*		
je	pris	j'	eus	pris
tu	pris	tu	eus	pris
il	prit	il	eut	pris
nous	prîmes	n.	eûmes	pris
vous	prîtes	v.	eûtes	pris
ils	prirent	ils	eurent	pris

Futur simple		*Futur antérieur*		
je	prendrai	j'	aurai	pris
tu	prendras	tu	auras	pris
il	prendra	il	aura	pris
nous	prendrons	n.	aurons	pris
vous	prendrez	v.	aurez	pris
ils	prendront	ils	auront	pris

SUBJONCTIF

Présent		*Passé*		
que je	prenne	que j'	aie	pris
que tu	prennes	que tu	aies	pris
qu'il	prenne	qu'il	ait	pris
que n.	prenions	que n.	ayons	pris
que v.	preniez	que v.	ayez	pris
qu'ils	prennent	qu'ils	aient	pris

Imparfait		*Plus-que-parfait*		
que je	prisse	que j'	eusse	pris
que tu	prisses	que tu	eusses	pris
qu'il	prît	qu'il	eût	pris
que n.	prissions	que n.	eussions	pris
que v.	prissiez	que v.	eussiez	pris
qu'ils	prissent	qu'ils	eussent	pris

IMPERATIF

Présent	*Passé*	
prends	aie	pris
prenons	ayons	pris
prenez	ayez	pris

CONDITIONNEL

Présent		*Passé 1re forme*		
je	prendrais	j'	aurais	pris
tu	prendrais	tu	aurais	pris
il	prendrait	il	aurait	pris
n.	prendrions	n.	aurions	pris
v.	prendriez	v.	auriez	pris
ils	prendraient	ils	auraient	pris

Passé 2e forme

j'	eusse	pris
tu	eusses	pris
il	eût	pris
n.	eussions	pris
v.	eussiez	pris
ils	eussent	pris

INFINITIF

Présent	*Passé*
prendre	avoir pris

PARTICIPE

Présent	*Passé*
prenant	pris, prise ayant pris

Ainsi se conjuguent les composés de **prendre** (page 118).

55 VERBE **BATTRE**

INDICATIF

Présent		*Passé composé*		
je	bats	j'	ai	battu
tu	bats	tu	as	battu
il	bat	il	a	battu
nous	battons	n.	avons	battu
vous	battez	v.	avez	battu
ils	battent	ils	ont	battu

Imparfait		*Plus-que-parfait*		
je	battais	j'	avais	battu
tu	battais	tu	avais	battu
il	battait	il	avait	battu
nous	battions	n.	avions	battu
vous	battiez	v.	aviez	battu
ils	battaient	ils	avaient	battu

Passé simple		*Passé antérieur*		
je	battis	j'	eus	battu
tu	battis	tu	eus	battu
il	battit	il	eut	battu
nous	battîmes	n.	eûmes	battu
vous	battîtes	v.	eûtes	battu
ils	battirent	ils	eurent	battu

Futur simple		*Futur antérieur*		
je	battrai	j'	aurai	battu
tu	battras	tu	auras	battu
il	battra	il	aura	battu
nous	battrons	n.	aurons	battu
vous	battrez	v.	aurez	battu
ils	battront	ils	auront	battu

SUBJONCTIF

Présent		*Passé*		
que je	batte	que j'	aie	battu
que tu	battes	que tu	aies	battu
qu'il	batte	qu'il	ait	battu
que n.	battions	que n.	ayons	battu
que v.	battiez	que v.	ayez	battu
qu'ils	battent	qu'ils	aient	battu

Imparfait		*Plus-que-parfait*		
que je	battisse	que j'	eusse	battu
que tu	battisses	que tu	eusses	battu
qu'il	battît	qu'il	eût	battu
que n.	battissions	que n.	eussions	battu
que v.	battissiez	que v.	eussiez	battu
qu'ils	battissent	qu'ils	eussent	battu

IMPERATIF

Présent	*Passé*	
bats	aie	battu
battons	ayons	battu
battez	ayez	battu

CONDITIONNEL

Présent		*Passé 1re forme*		
je	battrais	j'	aurais	battu
tu	battrais	tu	aurais	battu
il	battrait	il	aurait	battu
n.	battrions	n.	aurions	battu
v.	battriez	v.	auriez	battu
ils	battraient	ils	auraient	battu

Passé 2e forme		
j'	eusse	battu
tu	eusses	battu
il	eût	battu
n.	eussions	battu
v.	eussiez	battu
ils	eussent	battu

INFINITIF

Présent	*Passé*
battre	avoir battu

PARTICIPE

Présent	*Passé*
battant	battu, ue ayant battu

Ainsi se conjuguent les composés de **battre** (page 119).

INDICATIF

Présent	*Passé composé*
je mets	j' ai mis
tu mets	tu as mis
il met	il a mis
nous mettons	n. avons mis
vous mettez	v. avez mis
ils mettent	ils ont mis

Imparfait	*Plus-que-parfait*
je mettais	j' avais mis
tu mettais	tu avais mis
il mettait	il avait mis
nous mettions	n. avions mis
vous mettiez	v. aviez mis
ils mettaient	ils avaient mis

Passé simple	*Passé antérieur*
je mis	j' eus mis
tu mis	tu eus mis
il mit	il eut mis
nous mîmes	n. eûmes mis
vous mîtes	v. eûtes mis
ils mirent	ils eurent mis

Futur simple	*Futur antérieur*
je mettrai	j' aurai mis
tu mettras	tu auras mis
il mettra	il aura mis
nous mettrons	n. aurons mis
vous mettrez	v. aurez mis
ils mettront	ils auront mis

SUBJONCTIF

Présent	*Passé*
que je mette	que j' aie mis
que tu mettes	que tu aies mis
qu'il mette	qu'il ait mis
que n. mettions	que n. ayons mis
que v. mettiez	que v. ayez mis
qu'ils mettent	qu'ils aient mis

Imparfait	*Plus-que-parfait*
que je misse	que j' eusse mis
que tu misses	que tu eusses mis
qu'il mît	qu'il eût mis
que n. missions	que n. eussions mis
que v. missiez	que v. eussiez mis
qu'ils missent	qu'ils eussent mis

IMPERATIF

Présent	*Passé*
mets	aie mis
mettons	ayons mis
mettez	ayez mis

CONDITIONNEL

Présent	*Passé 1re forme*	*Passé 2e forme*
je mettrais	j' aurais mis	j' eusse mis
tu mettrais	tu aurais mis	tu eusses mis
il mettrait	il aurait mis	il eût mis
n. mettrions	n. aurions mis	n. eussions mis
v. mettriez	v. auriez mis	v. eussiez mis
ils mettraient	ils auraient mis	ils eussent mis

INFINITIF

Présent	*Passé*
mettre	avoir mis

PARTICIPE

Présent	*Passé*
mettant	mis, ise ayant mis

Ainsi se conjuguent les composés de **mettre** (page 119).

57

VERBES EN **-EINDRE : PEINDRE**

INDICATIF

Présent		*Passé composé*		
je	peins	j'	ai	peint
tu	peins	tu	as	peint
il	peint	il	a	peint
nous	peignons	n.	avons	peint
vous	peignez	v.	avez	peint
ils	peignent	ils	ont	peint

Imparfait		*Plus-que-parfait*		
je	peignais	j'	avais	peint
tu	peignais	tu	avais	peint
il	peignait	il	avait	peint
nous	peignions	n.	avions	peint
vous	peigniez	v.	aviez	peint
ils	peignaient	ils	avaient	peint

Passé simple		*Passé antérieur*		
je	peignis	j'	eus	peint
tu	peignis	tu	eus	peint
il	peignit	il	eut	peint
nous	peignîmes	n.	eûmes	peint
vous	peignîtes	v.	eûtes	peint
ils	peignirent	ils	eurent	peint

Futur simple		*Futur antérieur*		
je	peindrai	j'	aurai	peint
tu	peindras	tu	auras	peint
il	peindra	il	aura	peint
nous	peindrons	n.	aurons	peint
vous	peindrez	v.	aurez	peint
ils	peindront	ils	auront	peint

SUBJONCTIF

Présent		*Passé*		
que je	peigne	que j'	aie	peint
que tu	peignes	que tu	aies	peint
qu'il	peigne	qu'il	ait	peint
que n.	peignions	que n.	ayons	peint
que v.	peigniez	que v.	ayez	peint
qu'ils	peignent	qu'ils	aient	peint

Imparfait		*Plus-que-parfait*		
que je	peignisse	que j'	eusse	peint
que tu	peignisses	que tu	eusses	peint
qu'il	peignît	qu'il	eût	peint
que n.	peignissions	que n.	eussions	peint
que v.	peignissiez	que v.	eussiez	peint
qu'ils	peignissent	qu'ils	eussent	peint

IMPERATIF

Présent	*Passé*	
peins	aie	peint
peignons	ayons	peint
peignez	ayez	peint

CONDITIONNEL

Présent		*Passé 1re forme*		
je	peindrais	j'	aurais	peint
tu	peindrais	tu	aurais	peint
il	peindrait	il	aurait	peint
n.	peindrions	n.	aurions	peint
v.	peindriez	v.	auriez	peint
ils	peindraient	ils	auraient	peint

Passé 2e forme		
j'	eusse	peint
tu	eusses	peint
il	eût	peint
n.	eussions	peint
v.	eussiez	peint
ils	eussent	peint

INFINITIF

Présent	*Passé*
peindre	avoir peint

PARTICIPE

Présent	*Passé*
peignant	peint, einte ayant peint

Ainsi se conjuguent **astreindre, atteindre, ceindre, feindre, enfreindre, empreindre, geindre, teindre** et leurs composés (page 119).

INDICATIF

Présent		Passé composé		
je	joins	j'	ai	joint
tu	joins	tu	as	joint
il	joint	il	a	joint
nous	joignons	n.	avons	joint
vous	joignez	v.	avez	joint
ils	joignent	ils	ont	joint

Imparfait		Plus-que-parfait		
je	joignais	j'	avais	joint
tu	joignais	tu	avais	joint
il	joignait	il	avait	joint
nous	joignions	n.	avions	joint
vous	joigniez	v.	aviez	joint
ils	joignaient	ils	avaient	joint

Passé simple		Passé antérieur		
je	joignis	j'	eus	joint
tu	joignis	tu	eus	joint
il	joignit	il	eut	joint
nous	joignîmes	n.	eûmes	joint
vous	joignîtes	v.	eûtes	joint
ils	joignirent	ils	eurent	joint

Futur simple		Futur antérieur		
je	joindrai	j'	aurai	joint
tu	joindras	tu	auras	joint
il	joindra	il	aura	joint
nous	joindrons	n.	aurons	joint
vous	joindrez	v.	aurez	joint
ils	joindront	ils	auront	joint

SUBJONCTIF

Présent		Passé		
que je	joigne	que j'	aie	joint
que tu	joignes	que tu	aies	joint
qu'il	joigne	qu'il	ait	joint
que n.	joignions	que n.	ayons	joint
que v.	joigniez	que v.	ayez	joint
qu'ils	joignent	qu'ils	aient	joint

Imparfait		Plus-que-parfait		
que je	joignisse	que j'	eusse	joint
que tu	joignisses	que tu	eusses	joint
qu'il	joignît	qu'il	eût	joint
que n.	joignissions	que n.	eussions	joint
que v.	joignissiez	que v.	eussiez	joint
qu'ils	joignissent	qu'ils	eussent	joint

IMPERATIF

Présent	Passé	
joins	aie	joint
joignons	ayons	joint
joignez	ayez	joint

CONDITIONNEL

Présent		Passé 1re forme		
je	joindrais	j'	aurais	joint
tu	joindrais	tu	aurais	joint
il	joindrait	il	aurait	joint
n.	joindrions	n.	aurions	joint
v.	joindriez	v.	auriez	joint
ils	joindraient	ils	auraient	joint

Passé 2e forme		
j'	eusse	joint
tu	eusses	joint
il	eût	joint
n.	eussions	joint
v.	eussiez	joint
ils	eussent	joint

INFINITIF

Présent	Passé
joindre	avoir joint

PARTICIPE

Présent	Passé
joignant	joint, te ayant joint

Ainsi se conjuguent les composés de **joindre** (page 119) et les verbes archaïques **poindre** et **oindre.** Au sens intransitif de *commencer à paraître, poindre* ne s'emploie qu'aux formes suivantes : *il point, il poindra, il poindrait, il a point : Quand l'aube poindra...;* on a tendance à lui substituer le verbe régulier **pointer.** Au sens transitif de *piquer : Poignez vilain, il vous oindra,* ce verbe est sorti de l'usage en cédant la place parfois pour le néologisme insoutenable **poigner,** fabriqué à partir de formes régulières de **poindre :** *il poignait, poignant.* Ce participe présent s'est d'ailleurs maintenu comme adjectif en se chargeant du sens d'*étreindre* (comme par une *poigne?*).
Oindre est sorti de l'usage, sauf à l'infinitif et au participe passé *oint, te.*

59 VERBES EN -**AINDRE : CRAINDRE**

INDICATIF

Présent	*Passé composé*
je crains	j' ai craint
tu crains	tu as craint
il craint	il a craint
nous craignons	n. avons craint
vous craignez	v. avez craint
ils craignent	ils ont craint

Imparfait	*Plus-que-parfait*
je craignais	j' avais craint
tu craignais	tu avais craint
il craignait	il avait craint
nous craignions	n. avions craint
vous craigniez	v. aviez craint
ils craignaient	ils avaient craint

Passé simple	*Passé antérieur*
je craignis	j' eus craint
tu craignis	tu eus craint
il craignit	il eut craint
nous craignîmes	n. eûmes craint
vous craignîtes	v. eûtes craint
ils craignirent	ils eurent craint

Futur simple	*Futur antérieur*
je craindrai	j' aurai craint
tu craindras	tu auras craint
il craindra	il aura craint
nous craindrons	n. aurons craint
vous craindrez	v. aurez craint
ils craindront	ils auront craint

SUBJONCTIF

Présent	*Passé*
que je craigne	que j' aie craint
que tu craignes	que tu aies craint
qu'il craigne	qu'il ait craint
que n. craignions	que n. ayons craint
que v. craigniez	que v. ayez craint
qu'ils craignent	qu'ils aient craint

Imparfait	*Plus-que-parfait*
que je craignisse	que j' eusse craint
que tu craignisses	que tu eusses craint
qu'il craignît	qu'il eût craint
que n. craignissions	que n. eussions craint
que v. craignissiez	que v. eussiez craint
qu'ils craignissent	qu'ils eussent craint

IMPERATIF

Présent	*Passé*
crains	aie craint
craignons	ayons craint
craignez	ayez craint

CONDITIONNEL

Présent	*Passé 1re forme*	*Passé 2e forme*
je craindrais	j' aurais craint	j' eusse craint
tu craindrais	tu aurais craint	tu eusses craint
il craindrait	il aurait craint	il eût craint
n. craindrions	n. aurions craint	n. eussions craint
v. craindriez	v. auriez craint	v. eussiez craint
ils craindraient	ils auraient craint	ils eussent craint

INFINITIF

Présent	*Passé*
craindre	avoir craint

PARTICIPE

Présent	*Passé*
craignant	craint, te ayant craint

Ainsi se conjuguent **contraindre** et **plaindre.**

INDICATIF

Présent		*Passé composé*		
je	vaincs	j'	ai	vaincu
tu	vaincs	tu	as	vaincu
il	vainc	il	a	vaincu
nous	vainquons	n.	avons	vaincu
vous	vainquez	v.	avez	vaincu
ils	vainquent	ils	ont	vaincu

Imparfait		*Plus-que-parfait*		
je	vainquais	j'	avais	vaincu
tu	vainquais	tu	avais	vaincu
il	vainquait	il	avait	vaincu
nous	vainquions	n.	avions	vaincu
vous	vainquiez	v.	aviez	vaincu
ils	vainquaient	ils	avaient	vaincu

Passé simple		*Passé antérieur*		
je	vainquis	j'	eus	vaincu
tu	vainquis	tu	eus	vaincu
il	vainquit	il	eut	vaincu
nous	vainquîmes	n.	eûmes	vaincu
vous	vainquîtes	v.	eûtes	vaincu
ils	vainquirent	ils	eurent	vaincu

Futur simple		*Futur antérieur*		
je	vaincrai	j'	aurai	vaincu
tu	vaincras	tu	auras	vaincu
il	vaincra	il	aura	vaincu
nous	vaincrons	n.	aurons	vaincu
vous	vaincrez	v.	aurez	vaincu
ils	vaincront	ils	auront	vaincu

SUBJONCTIF

Présent		*Passé*		
que je	vainque	que j'	aie	vaincu
que tu	vainques	que tu	aies	vaincu
qu'il	vainque	qu'il	ait	vaincu
que n.	vainquions	que n.	ayons	vaincu
que v.	vainquiez	que v.	ayez	vaincu
qu'ils	vainquent	qu'ils	aient	vaincu

Imparfait		*Plus-que-parfait*		
que je	vainquisse	que j'	eusse	vaincu
que tu	vainquisses	que tu	eusses	vaincu
qu'il	vainquît	qu'il	eût	vaincu
que n.	vainquissions	que n.	eussions	vaincu
que v.	vainquissiez	que v.	eussiez	vaincu
qu'ils	vainquissent	qu'ils	eussent	vaincu

IMPERATIF

Présent	*Passé*	
vaincs	aie	vaincu
vainquons	ayons	vaincu
vainquez	ayez	vaincu

CONDITIONNEL

Présent		*Passé 1re forme*		
je	vaincrais	j'	aurais	vaincu
tu	vaincrais	tu	aurais	vaincu
il	vaincrait	il	aurait	vaincu
n.	vaincrions	n.	aurions	vaincu
v.	vaincriez	v.	auriez	vaincu
ils	vaincraient	ils	auraient	vaincu

Passé 2e forme		
j'	eusse	vaincu
tu	eusses	vaincu
il	eût	vaincu
n.	eussions	vaincu
v.	eussiez	vaincu
ils	eussent	vaincu

INFINITIF

Présent	*Passé*
vaincre	avoir vaincu

PARTICIPE

Présent	*Passé*
vainquant	vaincu, ue ayant vaincu

Seule irrégularité du verbe *vaincre :* il ne prend pas le **t** final à la troisième personne du singulier du présent de l'indicatif : *il vainc.*
D'autre part, devant une voyelle (sauf **u**), le **c** se change en **qu** : *nous vainquons.*
Ainsi se conjugue **convaincre.**

61 VERBE **TRAIRE**

INDICATIF

Présent

je	trais
tu	trais
il	trait
nous	trayons
vous	trayez
ils	traient

Passé composé

j'	ai	trait
tu	as	trait
il	a	trait
n.	avons	trait
v.	avez	trait
ils	ont	trait

Imparfait

je	trayais
tu	trayais
il	trayait
nous	trayions
vous	trayiez
ils	trayaient

Plus-que-parfait

j'	avais	trait
tu	avais	trait
il	avait	trait
n.	avions	trait
v.	aviez	trait
ils	avaient	trait

Passé simple

N'existe pas

Passé antérieur

j'	eus	trait
tu	eus	trait
il	eut	trait
n.	eûmes	trait
v.	eûtes	trait
ils	eurent	trait

Futur simple

je	trairai
tu	trairas
il	traira
nous	trairons
vous	trairez
ils	trairont

Futur antérieur

j'	aurai	trait
tu	auras	trait
il	aura	trait
n.	aurons	trait
v.	aurez	trait
ils	auront	trait

SUBJONCTIF

Présent

que je	traie
que tu	traies
qu'il	traie
que n.	trayions
que v.	trayiez
qu'ils	traient

Passé

que j'	aie	trait
que tu	aies	trait
qu'il	ait	trait
que n.	ayons	trait
que v.	ayez	trait
qu'ils	aient	trait

Imparfait

N'existe pas

Plus-que-parfait

que j'	eusse	trait
que tu	eusses	trait
qu'il	eût	trait
que n.	eussions	trait
que v.	eussiez	trait
qu'ils	eussent	trait

IMPERATIF

Présent

trais
trayons
trayez

Passé

aie	trait
ayons	trait
ayez	trait

CONDITIONNEL

Présent

je	trairais
tu	trairais
il	trairait
n.	trairions
v.	trairiez
ils	trairaient

Passé 1re forme

j'	aurais	trait
tu	aurais	trait
il	aurait	trait
n.	aurions	trait
v.	auriez	trait
ils	auraient	trait

Passé 2e forme

j'	eusse	trait
tu	eusses	trait
il	eût	trait
n.	eussions	trait
v.	eussiez	trait
ils	eussent	trait

INFINITIF

Présent

traire

Passé

avoir trait

PARTICIPE

Présent

trayant

Passé

trait, aite
ayant trait

Ainsi se conjuguent les composés de **traire** (au sens de *tirer*) comme **extraire, distraire,** etc. (voir page 119), de même le verbe **braire,** qui ne s'emploie qu'aux 3es personnes de l'indicatif présent, du futur et du conditionnel.

INDICATIF

Présent	*Passé composé*
je fais	j' ai fait
tu fais	tu as fait
il fait	il a fait
nous faisons	n. avons fait
vous faites	v. avez fait
ils font	ils ont fait

Imparfait	*Plus-que-parfait*
je faisais	j' avais fait
tu faisais	tu avais fait
il faisait	il avait fait
nous faisions	n. avions fait
vous faisiez	v. aviez fait
ils faisaient	ils avaient fait

Passé simple	*Passé antérieur*
je fis	j' eus fait
tu fis	tu eus fait
il fit	il eut fait
nous fîmes	n. eûmes fait
vous fîtes	v. eûtes fait
ils firent	ils eurent fait

Futur simple	*Futur antérieur*
je ferai	j' aurai fait
tu feras	tu auras fait
il fera	il aura fait
nous ferons	n. aurons fait
vous ferez	v. aurez fait
ils feront	ils auront fait

SUBJONCTIF

Présent	*Passé*
que je fasse	que j' aie fait
que tu fasses	que tu aies fait
qu'il fasse	qu'il ait fait
que n. fassions	que n. ayons fait
que v. fassiez	que v. ayez fait
qu'ils fassent	qu'ils aient fait

Imparfait	*Plus-que-parfait*
que je fisse	que j' eusse fait
que tu fisses	que tu eusses fait
qu'il fît	qu'il eût fait
que n. fissions	que n. eussions fait
que v. fissiez	que v. eussiez fait
qu'ils fissent	qu'ils eussent fait

IMPERATIF

Présent	*Passé*
fais	aie fait
faisons	ayons fait
faites	ayez fait

CONDITIONNEL

Présent	*Passé 1re forme*	*Passé 2e forme*
je ferais	j' aurais fait	j' eusse fait
tu ferais	tu aurais fait	tu eusses fait
il ferait	il aurait fait	il eût fait
n. ferions	n. aurions fait	n. eussions fait
v. feriez	v. auriez fait	v. eussiez fait
ils feraient	ils auraient fait	ils eussent fait

INFINITIF

Présent	*Passé*
faire	avoir fait

PARTICIPE

Présent	*Passé*
faisant	fait, te ayant fait

Tout en écrivant **fai,** on prononce *nous* **fe***sons, je* **fe***sais...,* **fe***sons,* **fe***sant;* en revanche, on a aligné sur la prononciation l'orthographe de *je* **fe***rai..., je* **fe***rais...,* écrits avec un **e.** Noter les 2es personnes du pluriel : présent : *vous faites;* impératif : *faites. Vous faisez, faisez* sont de grossiers barbarismes. Ainsi se conjuguent les composés de **faire** (page 119).

63 VERBE **PLAIRE**

INDICATIF

Présent		***Passé composé***		
je	plais	j'	ai	plu
tu	plais	tu	as	plu
il	plaît	il	a	plu
nous	plaisons	n.	avons	plu
vous	plaisez	v.	avez	plu
ils	plaisent	ils	ont	plu

Imparfait		***Plus-que-parfait***		
je	plaisais	j'	avais	plu
tu	plaisais	tu	avais	plu
il	plaisait	il	avait	plu
nous	plaisions	n.	avions	plu
vous	plaisiez	v.	aviez	plu
ils	plaisaient	ils	avaient	plu

Passé simple		***Passé antérieur***		
je	plus	j'	eus	plu
tu	plus	tu	eus	plu
il	plut	il	eut	plu
nous	plûmes	n.	eûmes	plu
vous	plûtes	v.	eûtes	plu
ils	plurent	ils	eurent	plu

Futur simple		***Futur antérieur***		
je	plairai	j'	aurai	plu
tu	plairas	tu	auras	plu
il	plaira	il	aura	plu
nous	plairons	n.	aurons	plu
vous	plairez	v.	aurez	plu
ils	plairont	ils	auront	plu

SUBJONCTIF

Présent		***Passé***		
que je	plaise	que j'	aie	plu
que tu	plaises	que tu	aies	plu
qu'il	plaise	qu'il	ait	plu
que n.	plaisions	que n.	ayons	plu
que v.	plaisiez	que v.	ayez	plu
qu'ils	plaisent	qu'ils	aient	plu

Imparfait		***Plus-que-parfait***		
que je	plusse	que j'	eusse	plu
que tu	plusses	que tu	eusses	plu
qu'il	plût	qu'il	eût	plu
que n.	plussions	que n.	eussions	plu
que v.	plussiez	que v.	eussiez	plu
qu'ils	plussent	qu'ils	eussent	plu

IMPERATIF

Présent	***Passé***	
plais	aie	plu
plaisons	ayons	plu
plaisez	ayez	plu

CONDITIONNEL

Présent		***Passé 1re forme***		
je	plairais	j'	aurais	plu
tu	plairais	tu	aurais	plu
il	plairait	il	aurait	plu
n.	plairions	n.	aurions	plu
v.	plairiez	v.	auriez	plu
ils	plairaient	ils	auraient	plu

Passé 2e forme

j'	eusse	plu
tu	eusses	plu
il	eût	plu
n.	eussions	plu
v.	eussiez	plu
ils	eussent	plu

INFINITIF

Présent	***Passé***
plaire	avoir plu

PARTICIPE

Présent	***Passé***
plaisant	plu ayant plu

Ainsi se conjuguent **complaire** et **déplaire,** de même que **taire,** qui, lui, ne prend pas d'accent circonflexe au présent de l'indicatif : *il tait,* et qui a un participe passé variable : *les plaintes se sont* **tues.**

INDICATIF

Présent	*Passé composé*
je connais	j' ai connu
tu connais	tu as connu
il connaît	il a connu
n. connaissons	n. avons connu
v. connaissez	v. avez connu
ils connaissent	ils ont connu

Imparfait	*Plus-que-parfait*
je connaissais	j' avais connu
tu connaissais	tu avais connu
il connaissait	il avait connu
n. connaissions	n. avions connu
v. connaissiez	v. aviez connu
ils connaissaient	ils avaient connu

Passé simple	*Passé antérieur*
je connus	j' eus connu
tu connus	tu eus connu
il connut	il eut connu
n. connûmes	n. eûmes connu
v. connûtes	v. eûtes connu
ils connurent	ils eurent connu

Futur simple	*Futur antérieur*
je connaîtrai	j' aurai connu
tu connaîtras	tu auras connu
il connaîtra	il aura connu
n. connaîtrons	n. aurons connu
v. connaîtrez	v. aurez connu
ils connaîtront	ils auront connu

SUBJONCTIF

Présent	*Passé*
que je connaisse	que j' aie connu
que tu connaisses	que tu aies connu
qu'il connaisse	qu'il ait connu
que n. connaissions	que n. ayons connu
que v. connaissiez	que v. ayez connu
qu'ils connaissent	qu'ils aient connu

Imparfait	*Plus-que-parfait*
que je connusse	que j' eusse connu
que tu connusses	que tu eusses connu
qu'il connût	qu'il eût connu
que n. connussions	que n. eussions connu
que v. connussiez	que v. eussiez connu
qu'ils connussent	qu'ils eussent connu

IMPERATIF

Présent	*Passé*
connais	aie connu
connaissons	ayons connu
connaissez	ayez connu

CONDITIONNEL

Présent	*Passé 1re forme*
je connaîtrais	j' aurais connu
tu connaîtrais	tu aurais connu
il connaîtrait	il aurait connu
n. connaîtrions	n. aurions connu
v. connaîtriez	v. auriez connu
ils connaîtraient	ils auraient connu

Passé 2e forme
j' eusse connu
tu eusses connu
il eût connu
n. eussions connu
v. eussiez connu
ils eussent connu

INFINITIF

Présent	*Passé*
connaître	avoir connu

PARTICIPE

Présent	*Passé*
connaissant	connu, ue ayant connu

Ainsi se conjuguent **connaître, paraître** et tous leurs composés (page 119).
Tous les verbes en **-aître** prennent un accent circonflexe sur l'**i** qui précède le **t,** de même que tous les verbes en **-oître.**

65 VERBE **NAÎTRE**

INDICATIF

Présent		*Passé composé*		
je	nais	je	suis	né
tu	nais	tu	es	né
il	naît	il	est	né
nous	naissons	n.	sommes	nés
vous	naissez	v.	êtes	nés
ils	naissent	ils	sont	nés

Imparfait		*Plus-que-parfait*		
je	naissais	j'	étais	né
tu	naissais	tu	étais	né
il	naissait	il	était	né
nous	naissions	n.	étions	nés
vous	naissiez	v.	étiez	nés
ils	naissaient	ils	étaient	nés

Passé simple		*Passé antérieur*		
je	naquis	je	fus	né
tu	naquis	tu	fus	né
il	naquit	il	fut	né
nous	naquîmes	n.	fûmes	nés
vous	naquîtes	v.	fûtes	nés
ils	naquirent	ils	furent	nés

Futur simple		*Futur antérieur*		
je	naîtrai	je	serai	né
tu	naîtras	tu	seras	né
il	naîtra	il	sera	né
nous	naîtrons	n.	serons	nés
vous	naîtrez	v.	serez	nés
ils	naîtront	ils	seront	nés

SUBJONCTIF

Présent		*Passé*		
que je	naisse	que je	sois	né
que tu	naisses	que tu	sois	né
qu'il	naisse	qu'il	soit	né
que n.	naissions	que n.	soyons	nés
que v.	naissiez	que v.	soyez	nés
qu'ils	naissent	qu'ils	soient	nés

Imparfait		*Plus-que-parfait*		
que je	naquisse	que je	fusse	né
que tu	naquisses	que tu	fusses	né
qu'il	naquît	qu'il	fût	né
que n.	naquissions	que n.	fussions	nés
que v.	naquissiez	que v.	fussiez	nés
qu'ils	naquissent	qu'ils	fussent	nés

IMPERATIF

Présent	*Passé*	
nais	sois	né
naissons	soyons	nés
naissez	soyez	nés

CONDITIONNEL

Présent		*Passé 1re forme*		
je	naîtrais	je	serais	né
tu	naîtrais	tu	serais	né
il	naîtrait	il	serait	né
n.	naîtrions	n.	serions	nés
v.	naîtriez	v.	seriez	nés
ils	naîtraient	ils	seraient	nés

Passé 2e forme		
je	fusse	né
tu	fusses	né
il	fût	né
n.	fussions	nés
v.	fussiez	nés
ils	fussent	nés

INFINITIF

Présent	*Passé*
naître	être né

PARTICIPE

Présent	*Passé*
naissant	né, née étant né

INDICATIF

Présent		*Passé simple*
je	pais	
tu	pais	
il	paît	*N'existe pas*
nous	paissons	
vous	paissez	
ils	paissent	

Imparfait		*Futur simple*	
je	paissais	je	paîtrai
tu	paissais	tu	paîtras
il	paissait	il	paîtra
nous	paissions	n.	paîtrons
vous	paissiez	v.	paîtrez
ils	paissaient	ils	paîtront

SUBJONCTIF

Présent		*Imparfait*
que je	paisse	
que tu	paisses	
qu'il	paisse	*N'existe pas*
que n.	paissions	
que v.	paissiez	
qu'ils	paissent	

IMPERATIF

Présent

pais
paissez

INFINITIF

Présent

paître

PARTICIPE

Présent

paissant

CONDITIONNEL

Présent

je	paîtrais
tu	paîtrais
il	paîtrait
n.	paîtrions
v.	paîtriez
ils	paîtraient

Le verbe **paître** n'a pas de *temps composés;* il n'est usité qu'aux *temps simples* ci-dessus.
Nota. Le participe passé **pu,** invariable, n'est usité qu'en termes de fauconnerie.

VERBE **REPAÎTRE**

Repaître se conjugue comme **paître,** mais il a, de plus, les temps suivants :

INDICATIF

Passé simple

je repus, etc.

SUBJONCTIF

Imparfait

que je repusse, etc.

PARTICIPE

Passé

repu, ue

Tous les temps composés

j'ai repu, etc.
j'avais repu, etc.

67 VERBES EN -OÎTRE : CROÎTRE

INDICATIF

Présent		Passé composé		
je	croîs	j'	ai	crû
tu	croîs	tu	as	crû
il	croît	il	a	crû
nous	croissons	n.	avons	crû
vous	croissez	v.	avez	crû
ils	croissent	ils	ont	crû

Imparfait		Plus-que-parfait		
je	croissais	j'	avais	crû
tu	croissais	tu	avais	crû
il	croissait	il	avait	crû
nous	croissions	n.	avions	crû
vous	croissiez	v.	aviez	crû
ils	croissaient	ils	avaient	crû

Passé simple		Passé antérieur		
je	crûs	j'	eus	crû
tu	crûs	tu	eus	crû
il	crût	il	eut	crû
nous	crûmes	n.	eûmes	crû
vous	crûtes	v.	eûtes	crû
ils	crûrent	ils	eurent	crû

Futur simple		Futur antérieur		
je	croîtrai	j'	aurai	crû
tu	croîtras	tu	auras	crû
il	croîtra	il	aura	crû
nous	croîtrons	n.	aurons	crû
vous	croîtrez	v.	aurez	crû
ils	croîtront	ils	auront	crû

SUBJONCTIF

Présent		Passé		
que je	croisse	que j'	aie	crû
que tu	croisses	que tu	aies	crû
qu'il	croisse	qu'il	ait	crû
que n.	croissions	que n.	ayons	crû
que v.	croissiez	que v.	ayez	crû
qu'ils	croissent	qu'ils	aient	crû

Imparfait		Plus-que-parfait		
que je	crûsse	que j'	eusse	crû
que tu	crûsses	que tu	eusses	crû
qu'il	crût	qu'il	eût	crû
que n.	crûssions	que n.	eussions	crû
que v.	crûssiez	que v.	eussiez	crû
qu'ils	crûssent	qu'ils	eussent	crû

IMPERATIF

Présent	Passé	
croîs	aie	crû
croîssons	ayons	crû
croîssez	ayez	crû

CONDITIONNEL

Présent		Passé 1re forme		
je	croîtrais	j'	aurais	crû
tu	croîtrais	tu	aurais	crû
il	croîtrait	il	aurait	crû
n.	croîtrions	n.	aurions	crû
v.	croîtriez	v.	auriez	crû
ils	croîtraient	ils	auraient	crû

Passé 2e forme		
j'	eusse	crû
tu	eusses	crû
il	eût	crû
n.	eussions	crû
v.	eussiez	crû
ils	eussent	crû

INFINITIF

Présent	Passé
croître	avoir crû

PARTICIPE

Présent	Passé
croissant	crû, ue ayant crû

Ainsi se conjuguent **accroître, décroître, recroître.** S'ils prennent tous un accent circonflexe sur l'**i** suivi d'un **t, croître** est le seul qui ait l'accent circonflexe aux formes suivantes : *je croîs, tu croîs, je crûs, tu crûs, il crût, ils crûrent, que je crûsse..., crû,* pour le distinguer des formes correspondantes du verbe **croire.**
Noter cependant le participe passé *recrû.*

INDICATIF

Présent		*Passé composé*		
je	crois	j'	ai	cru
tu	crois	tu	as	cru
il	croit	il	a	cru
nous	croyons	n.	avons	cru
vous	croyez	v.	avez	cru
ils	croient	ils	ont	cru

Imparfait		*Plus-que-parfait*		
je	croyais	j'	avais	cru
tu	croyais	tu	avais	cru
il	croyait	il	avait	cru
nous	croyions	n.	avions	cru
vous	croyiez	v.	aviez	cru
ils	croyaient	ils	avaient	cru

Passé simple		*Passé antérieur*		
je	crus	j'	eus	cru
tu	crus	tu	eus	cru
il	crut	il	eut	cru
nous	crûmes	n.	eûmes	cru
vous	crûtes	v.	eûtes	cru
ils	crurent	ils	eurent	cru

Futur simple		*Futur antérieur*		
je	croirai	j'	aurai	cru
tu	croiras	tu	auras	cru
il	croira	il	aura	cru
nous	croirons	n.	aurons	cru
vous	croirez	v.	aurez	cru
ils	croiront	ils	auront	cru

SUBJONCTIF

Présent		*Passé*		
que je	croie	que j'	aie	cru
que tu	croies	que tu	aies	cru
qu'il	croie	qu'il	ait	cru
que n.	croyions	que n.	ayons	cru
que v.	croyiez	que v.	ayez	cru
qu'ils	croient	qu'ils	aient	cru

Imparfait		*Plus-que-parfait*		
que je	crusse	que j'	eusse	cru
que tu	crusses	que tu	eusses	cru
qu'il	crût	qu'il	eût	cru
que n.	crussions	que n.	eussions	cru
que v.	crussiez	que v.	eussiez	cru
qu'ils	crussent	qu'ils	eussent	cru

IMPERATIF

Présent	*Passé*	
crois	aie	cru
croyons	ayons	cru
croyez	ayez	cru

CONDITIONNEL

Présent		*Passé 1re forme*		
je	croirais	j'	aurais	cru
tu	croirais	tu	aurais	cru
il	croirait	il	aurait	cru
n.	croirions	n.	aurions	cru
v.	croiriez	v.	auriez	cru
ils	croiraient	ils	auraient	cru

Passé 2e forme		
j'	eusse	cru
tu	eusses	cru
il	eût	cru
n.	eussions	cru
v.	eussiez	cru
ils	eussent	cru

INFINITIF

Présent	*Passé*
croire	avoir cru

PARTICIPE

Présent	*Passé*
croyant	cru, ue ayant cru

69 VERBE **BOIRE**

INDICATIF

Présent		*Passé composé*		
je	bois	j'	ai	bu
tu	bois	tu	as	bu
il	boit	il	a	bu
nous	buvons	n.	avons	bu
vous	buvez	v.	avez	bu
ils	boivent	ils	ont	bu

Imparfait		*Plus-que-parfait*		
je	buvais	j'	avais	bu
tu	buvais	tu	avais	bu
il	buvait	il	avait	bu
nous	buvions	n.	avions	bu
vous	buviez	v.	aviez	bu
ils	buvaient	ils	avaient	bu

Passé simple		*Passé antérieur*		
je	bus	j'	eus	bu
tu	bus	tu	eus	bu
il	but	il	eut	bu
nous	bûmes	n.	eûmes	bu
vous	bûtes	v.	eûtes	bu
ils	burent	ils	eurent	bu

Futur simple		*Futur antérieur*		
je	boirai	j'	aurai	bu
tu	boiras	tu	auras	bu
il	boira	il	aura	bu
nous	boirons	n.	aurons	bu
vous	boirez	v.	aurez	bu
ils	boiront	ils	auront	bu

SUBJONCTIF

Présent		*Passé*		
que je	boive	que j'	aie	bu
que tu	boives	que tu	aies	bu
qu'il	boive	qu'il	ait	bu
que n.	buvions	que n.	ayons	bu
que v.	buviez	que v.	ayez	bu
qu'ils	boivent	qu'ils	aient	bu

Imparfait		*Plus-que-parfait*		
que je	busse	que j'	eusse	bu
que tu	busses	que tu	eusses	bu
qu'il	bût	qu'il	eût	bu
que n.	bussions	que n.	eussions	bu
que v.	bussiez	que v.	eussiez	bu
qu'ils	bussent	qu'ils	eussent	bu

IMPERATIF

Présent	*Passé*	
bois	aie	bu
buvons	ayons	bu
buvez	ayez	bu

CONDITIONNEL

Présent		*Passé 1re forme*		
je	boirais	j'	aurais	bu
tu	boirais	tu	aurais	bu
il	boirait	il	aurait	bu
n.	boirions	n.	aurions	bu
v.	boiriez	v.	auriez	bu
ils	boiraient	ils	auraient	bu

Passé 2e forme

j'	eusse	bu
tu	eusses	bu
il	eût	bu
n.	eussions	bu
v.	eussiez	bu
ils	eussent	bu

INFINITIF

Présent	*Passé*
boire	avoir bu

PARTICIPE

Présent	*Passé*
buvant	bu, ue ayant bu

INDICATIF

Présent		Passé composé		
je	clos	j'	ai	clos
tu	clos	tu	as	clos
il	clôt	il	a	clos
ils	closent	n.	avons	clos
		v.	avez	clos
		ils	ont	clos

Imparfait	Plus-que-parfait		
	j'	avais	clos
	tu	avais	clos
N'existe pas	il	avait	clos
	n.	avions	clos
	v.	aviez	clos
	ils	avaient	clos

Passé simple	Passé antérieur		
	j'	eus	clos
	tu	eus	clos
N'existe pas	il	eut	clos
	n.	eûmes	clos
	v.	eûtes	clos
	ils	eurent	clos

Futur simple		Futur antérieur		
je	clorai	j'	aurai	clos
tu	cloras	tu	auras	clos
il	clora	il	aura	clos
nous	clorons	n.	aurons	clos
vous	clorez	v.	aurez	clos
ils	cloront	ils	auront	clos

SUBJONCTIF

Présent		Passé		
que je	close	que j'	aie	clos
que tu	closes	que tu	aies	clos
qu'il	close	qu'il	ait	clos
que n.	closions	que n.	ayons	clos
que v.	closiez	que v.	ayez	clos
qu'ils	closent	qu'ils	aient	clos

Imparfait	Plus-que-parfait		
	que j'	eusse	clos
	que tu	eusses	clos
N'existe pas	qu'il	eût	clos
	que n.	eussions	clos
	que v.	eussiez	clos
	qu'ils	eussent	clos

IMPERATIF

Présent	Passé	
clos	aie	clos
	ayons	clos
	ayez	clos

CONDITIONNEL

Présent		Passé 1re forme		
je	clorais	j'	aurais	clos
tu	clorais	tu	aurais	clos
il	clorait	il	aurait	clos
n.	clorions	n.	aurions	clos
v.	cloriez	v.	auriez	clos
ils	cloraient	ils	auraient	clos

Passé 2e forme		
j'	eusse	clos
tu	eusses	clos
il	eût	clos
n.	eussions	clos
v.	eussiez	clos
ils	eussent	clos

INFINITIF

Présent	Passé
clore	avoir clos

PARTICIPE

Présent	Passé
closant	clos se ayant clos

Éclore ne s'emploie guère qu'à la 3e personne. L'Académie écrit : *il éclot* sans accent circonflexe.
Enclore possède les formes *nous enclosons, vous enclosez*; impératif : *enclosons, enclosez*. L'Académie écrit sans accent circonflexe : *il enclot*.
Déclore ne prend pas l'accent circonflexe au présent de l'indicatif : *il déclot*. N'est guère usité qu'à l'infinitif et au participe passé *déclos, déclose*.

71

VERBES EN -**CLURE : CONCLURE**

INDICATIF

Présent	*Passé composé*
je conclus	j' ai conclu
tu conclus	tu as conclu
il conclut	il a conclu
nous concluons	n. avons conclu
vous concluez	v. avez conclu
ils concluent	ils ont conclu

Imparfait	*Plus-que-parfait*
je concluais	j' avais conclu
tu concluais	tu avais conclu
il concluait	il avait conclu
nous concluions	n. avions conclu
vous concluiez	v. aviez conclu
ils concluaient	ils avaient conclu

Passé simple	*Passé antérieur*
je conclus	j' eus conclu
tu conclus	tu eus conclu
il conclut	il eut conclu
nous conclûmes	n. eûmes conclu
vous conclûtes	v. eûtes conclu
ils conclurent	ils eurent conclu

Futur simple	*Futur antérieur*
je conclurai	j' aurai conclu
tu concluras	tu auras conclu
il conclura	il aura conclu
nous conclurons	n. aurons conclu
vous conclurez	v. aurez conclu
ils concluront	ils auront conclu

SUBJONCTIF

Présent	*Passé*
que je conclue	que j' aie conclu
que tu conclues	que tu aies conclu
qu'il conclue	qu'il ait conclu
que n. concluions	que n. ayons conclu
que v. concluiez	que v. ayez conclu
qu'ils concluent	qu'ils aient conclu

Imparfait	*Plus-que-parfait*
que je conclusse	que j' eusse conclu
que tu conclusses	que tu eusses conclu
qu'il conclût	qu'il eût conclu
que n. conclussions	que n. eussions conclu
que v. conclussiez	que v. eussiez conclu
qu'ils conclussent	qu'ils eussent conclu

IMPERATIF

Présent	*Passé*
conclus	aie conclu
concluons	ayons conclu
concluez	ayez conclu

CONDITIONNEL

Présent	*Passé 1re forme*	*Passé 2e forme*
je conclurais	j' aurais conclu	j' eusse conclu
tu conclurais	tu aurais conclu	tu eusses conclu
il conclurait	il aurait conclu	il eût conclu
n. conclurions	n. aurions conclu	n. eussions conclu
v. concluriez	v. auriez conclu	v. eussiez conclu
ils concluraient	ils auraient conclu	ils eussent conclu

INFINITIF

Présent	*Passé*
conclure	avoir conclu

PARTICIPE

Présent	*Passé*
concluant	conclu, ue ayant conclu

Inclure fait au participe passé *inclus(e)*. Noter l'opposition *exclu(e)/inclus(e)*.
Occlure fait au participe passé *occlus(e)*.

INDICATIF

Présent		*Passé composé*		
j'	absous	j'	ai	absous
tu	absous	tu	as	absous
il	absout	il	a	absous
nous	absolvons	n.	avons	absous
vous	absolvez	v.	avez	absous
ils	absolvent	ils	ont	absous

Imparfait		*Plus-que-parfait*		
j'	absolvais	j'	avais	absous
tu	absolvais	tu	avais	absous
il	absolvait	il	avait	absous
nous	absolvions	n.	avions	absous
vous	absolviez	v.	aviez	absous
ils	absolvaient	ils	avaient	absous

Passé simple	*Passé antérieur*		
	j'	eus	absous
	tu	eus	absous
N'existe pas	il	eut	absous
	n.	eûmes	absous
	v.	eûtes	absous
	ils	eurent	absous

Futur simple		*Futur antérieur*		
j'	absoudrai	j'	aurai	absous
tu	absoudras	tu	auras	absous
il	absoudra	il	aura	absous
nous	absoudrons	n.	aurons	absous
vous	absoudrez	v.	aurez	absous
ils	absoudront	ils	auront	absous

SUBJONCTIF

Présent		*Passé*		
que j'	absolve	que j'	aie	absous
que tu	absolves	que tu	aies	absous
qu'il	absolve	qu'il	ait	absous
que n.	absolvions	que n.	ayons	absous
que v.	absolviez	que v.	ayez	absous
qu'ils	absolvent	qu'ils	aient	absous

Imparfait	*Plus-que-parfait*		
	que j'	eusse	absous
	que tu	eusses	absous
N'existe pas	qu'il	eût	absous
	que n.	eussions	absous
	que v.	eussiez	absous
	qu'ils	eussent	absous

IMPERATIF

Présent	*Passé*	
absous	aie	absous
absolvons	ayons	absous
absolvez	ayez	absous

CONDITIONNEL

Présent		*Passé 1re forme*		
j'	absoudrais	j'	aurais	absous
tu	absoudrais	tu	aurais	absous
il	absoudrait	il	aurait	absous
n.	absoudrions	n.	aurions	absous
v.	absoudriez	v.	auriez	absous
ils	absoudraient	ils	auraient	absous

Passé 2e forme		
j'	eusse	absous
tu	eusses	absous
il	eût	absous
n.	eussions	absous
v.	eussiez	absous
ils	eussent	absous

INFINITIF

Présent	*Passé*
absoudre	avoir absous

PARTICIPE

Présent	*Passé*
absolvant	absous, oute ayant absous

Absoudre. *Absous, absoute* a éliminé un ancien participe passé *absolu* qui s'est conservé comme adjectif au sens de : *complet, sans restriction.* Bien qu'admis par Littré, le passé simple *j'absolus* ne s'emploie pas. **Dissoudre** se conjugue comme **absoudre,** y compris le participe passé *dissous, dissoute,* distinct de l'ancien participe *dissolu, ue,* qui a subsisté comme adjectif au sens de *corrompu, débauché.*

Résoudre, à la différence de **absoudre,** possède un passé simple : *je résolus,* et un subjonctif imparfait : *que je résolusse.* Le participe passé est *résolu : J'ai résolu ce problème.* Mais il existe un participe passé *résous* (fém. *résoute* très rare), qui n'est usité qu'en parlant des choses qui changent d'état : *brouillard résous en pluie.* Noter l'adjectif *résolu* signifiant *hardi.*

73

VERBE **COUDRE**

INDICATIF

Présent	*Passé composé*
je couds	j' ai cousu
tu couds	tu as cousu
il coud	il a cousu
nous cousons	n. avons cousu
vous cousez	v. avez cousu
ils cousent	ils ont cousu

Imparfait	*Plus-que-parfait*
je cousais	j' avais cousu
tu cousais	tu avais cousu
il cousait	il avait cousu
nous cousions	n. avions cousu
vous cousiez	v. aviez cousu
ils cousaient	ils avaient cousu

Passé simple	*Passé antérieur*
je cousis	j' eus cousu
tu cousis	tu eus cousu
il cousit	il eut cousu
nous cousîmes	n. eûmes cousu
vous cousîtes	v. eûtes cousu
ils cousirent	ils eurent cousu

Futur simple	*Futur antérieur*
je coudrai	j' aurai cousu
tu coudras	tu auras cousu
il coudra	il aura cousu
nous coudrons	n. aurons cousu
vous coudrez	v. aurez cousu
ils coudront	ils auront cousu

SUBJONCTIF

Présent	*Passé*
que je couse	que j' aie cousu
que tu couses	que tu aies cousu
qu'il couse	qu'il ait cousu
que n. cousions	que n. ayons cousu
que v. cousiez	que v. ayez cousu
qu'ils cousent	qu'ils aient cousu

Imparfait	*Plus-que-parfait*
que je cousisse	que j' eusse cousu
que tu cousisses	que tu eusses cousu
qu'il cousît	qu'il eût cousu
que n. cousissions	que n. eussions cousu
que v. cousissiez	que v. eussiez cousu
qu'ils cousissent	qu'ils eussent cousu

IMPERATIF

Présent	*Passé*
couds	aie cousu
cousons	ayons cousu
cousez	ayez cousu

CONDITIONNEL

Présent	*Passé 1re forme*	*Passé 2e forme*
je coudrais	j' aurais cousu	j' eusse cousu
tu coudrais	tu aurais cousu	tu eusses cousu
il coudrait	il aurait cousu	il eût cousu
n. coudrions	n. aurions cousu	n. eussions cousu
v. coudriez	v. auriez cousu	v. eussiez cousu
ils coudraient	ils auraient cousu	ils eussent cousu

INFINITIF

Présent	*Passé*
coudre	avoir cousu

PARTICIPE

Présent	*Passé*
cousant	cousu, ue ayant cousu

Ainsi se conjuguent **découdre, recoudre.**

INDICATIF

Présent		Passé composé		
je	mouds	j'	ai	moulu
tu	mouds	tu	as	moulu
il	moud	il	a	moulu
nous	moulons	n.	avons	moulu
vous	moulez	v.	avez	moulu
ils	moulent	ils	ont	moulu

Imparfait		Plus-que-parfait		
je	moulais	j'	avais	moulu
tu	moulais	tu	avais	moulu
il	moulait	il	avait	moulu
nous	moulions	n.	avions	moulu
vous	mouliez	v.	aviez	moulu
ils	moulaient	ils	avaient	moulu

Passé simple		Passé antérieur		
je	moulus	j'	eus	moulu
tu	moulus	tu	eus	moulu
il	moulut	il	eut	moulu
nous	moulûmes	n.	eûmes	moulu
vous	moulûtes	v.	eûtes	moulu
ils	moulurent	ils	eurent	moulu

Futur simple		Futur antérieur		
je	moudrai	j'	aurai	moulu
tu	moudras	tu	auras	moulu
il	moudra	il	aura	moulu
nous	moudrons	n.	aurons	moulu
vous	moudrez	v.	aurez	moulu
ils	moudront	ils	auront	moulu

SUBJONCTIF

Présent		Passé		
que je	moule	que j'	aie	moulu
que tu	moules	que tu	aies	moulu
qu'il	moule	qu'il	ait	moulu
que n.	moulions	que n.	ayons	moulu
que v.	mouliez	que v.	ayez	moulu
qu'ils	moulent	qu'ils	aient	moulu

Imparfait		Plus-que-parfait		
que je	moulusse	que j'	eusse	moulu
que tu	moulusses	que tu	eusses	moulu
qu'il	moulût	qu'il	eût	moulu
que n.	moulussions	que n.	eussions	moulu
que v.	moulussiez	que v.	eussiez	moulu
qu'ils	moulussent	qu'ils	eussent	moulu

IMPERATIF

Présent	Passé	
mouds	aie	moulu
moulons	ayons	moulu
moulez	ayez	moulu

CONDITIONNEL

Présent		Passé 1re forme		
je	moudrais	j'	aurais	moulu
tu	moudrais	tu	aurais	moulu
il	moudrait	il	aurait	moulu
n.	moudrions	n.	aurions	moulu
v.	moudriez	v.	auriez	moulu
ils	moudraient	ils	auraient	moulu

Passé 2e forme		
j'	eusse	moulu
tu	eusses	moulu
il	eût	moulu
n.	eussions	moulu
v.	eussiez	moulu
ils	eussent	moulu

INFINITIF

Présent	Passé
moudre	avoir moulu

PARTICIPE

Présent	Passé
moulant	moulu, ue ayant moulu

Ainsi se conjuguent **émoudre remoudre**

75

VERBE **SUIVRE**

INDICATIF

Présent		*Passé composé*		
je	suis	j'	ai	suivi
tu	suis	tu	as	suivi
il	suit	il	a	suivi
nous	suivons	n.	avons	suivi
vous	suivez	v.	avez	suivi
ils	suivent	ils	ont	suivi

Imparfait		*Plus-que-parfait*		
je	suivais	j'	avais	suivi
tu	suivais	tu	avais	suivi
il	suivait	il	avait	suivi
nous	suivions	n.	avions	suivi
vous	suiviez	v.	aviez	suivi
ils	suivaient	ils	avaient	suivi

Passé simple		*Passé antérieur*		
je	suivis	j'	eus	suivi
tu	suivis	tu	eus	suivi
il	suivit	il	eut	suivi
nous	suivîmes	n.	eûmes	suivi
vous	suivîtes	v.	eûtes	suivi
ils	suivirent	ils	eurent	suivi

Futur simple		*Futur antérieur*		
je	suivrai	j'	aurai	suivi
tu	suivras	tu	auras	suivi
il	suivra	il	aura	suivi
nous	suivrons	n.	aurons	suivi
vous	suivrez	v.	aurez	suivi
ils	suivront	ils	auront	suivi

SUBJONCTIF

Présent		*Passé*		
que je	suive	que j'	aie	suivi
que tu	suives	que tu	aies	suivi
qu'il	suive	qu'il	ait	suivi
que n.	suivions	que n.	ayons	suivi
que v.	suiviez	que v.	ayez	suivi
qu'ils	suivent	qu'ils	aient	suivi

Imparfait		*Plus-que-parfait*		
que je	suivisse	que j'	eusse	suivi
que tu	suivisses	que tu	eusses	suivi
qu'il	suivît	qu'il	eût	suivi
que n.	suivissions	que n.	eussions	suivi
que v.	suivissiez	que v.	eussiez	suivi
qu'ils	suivissent	qu'ils	eussent	suivi

IMPERATIF

Présent	*Passé*	
suis	aie	suivi
suivons	ayons	suivi
suivez	ayez	suivi

CONDITIONNEL

Présent		*Passé 1re forme*		
je	suivrais	j'	aurais	suivi
tu	suivrais	tu	aurais	suivi
il	suivrait	il	aurait	suivi
n.	suivrions	n.	aurions	suivi
v.	suivriez	v.	auriez	suivi
ils	suivraient	ils	auraient	suivi

Passé 2e forme

j'	eusse	suivi
tu	eusses	suivi
il	eût	suivi
n.	eussions	suivi
v.	eussiez	suivi
ils	eussent	suivi

INFINITIF

Présent	*Passé*
suivre	avoir suivi

PARTICIPE

Présent	*Passé*
suivant	suivi, ie ayant suivi

Ainsi se conjuguent **s'ensuivre** (auxiliaire **être**) et **poursuivre**

INDICATIF

Présent	*Passé composé*
je vis	j' ai vécu
tu vis	tu as vécu
il vit	il a vécu
nous vivons	n. avons vécu
vous vivez	v. avez vécu
ils vivent	ils ont vécu

Imparfait	*Plus-que-parfait*
je vivais	j' avais vécu
tu vivais	tu avais vécu
il vivait	il avait vécu
nous vivions	n. avions vécu
vous viviez	v. aviez vécu
ils vivaient	ils avaient vécu

Passé simple	*Passé antérieur*
je vécus	j' eus vécu
tu vécus	tu eus vécu
il vécut	il eut vécu
nous vécûmes	n. eûmes vécu
vous vécûtes	v. eûtes vécu
ils vécurent	ils eurent vécu

Futur simple	*Futur antérieur*
je vivrai	j' aurai vécu
tu vivras	tu auras vécu
il vivra	il aura vécu
nous vivrons	n. aurons vécu
vous vivrez	v. aurez vécu
ils vivront	ils auront vécu

SUBJONCTIF

Présent	*Passé*
que je vive	que j' aie vécu
que tu vives	que tu aies vécu
qu'il vive	qu'il ait vécu
que n. vivions	que n. ayons vécu
que v. viviez	que v. ayez vécu
qu'ils vivent	qu'ils aient vécu

Imparfait	*Plus-que-parfait*
que je vécusse	que j' eusse vécu
que tu vécusses	que tu eusses vécu
qu'il vécût	qu'il eût vécu
que n. vécussions	que n. eussions vécu
que v. vécussiez	que v. eussiez vécu
qu'ils vécussent	qu'ils eussent vécu

IMPERATIF

Présent	*Passé*
vis	aie vécu
vivons	ayons vécu
vivez	ayez vécu

CONDITIONNEL

Présent	*Passé 1re forme*	*Passé 2e forme*
je vivrais	j' aurais vécu	j' eusse vécu
tu vivrais	tu aurais vécu	tu eusses vécu
il vivrait	il aurait vécu	il eût vécu
n. vivrions	n. aurions vécu	n. eussions vécu
v. vivriez	v. auriez vécu	v. eussiez vécu
ils vivraient	ils auraient vécu	ils eussent vécu

INFINITIF

Présent	*Passé*
vivre	avoir vécu

PARTICIPE

Présent	*Passé*
vivant	vécu ayant vécu

Ainsi se conjuguent **revivre** et **survivre;** le participe passé de ce dernier est invariable.

77 VERBE **LIRE**

INDICATIF

Présent		*Passé composé*		
je	lis	j'	ai	lu
tu	lis	tu	as	lu
il	lit	il	a	lu
nous	lisons	n.	avons	lu
vous	lisez	v.	avez	lu
ils	lisent	ils	ont	lu

Imparfait		*Plus-que-parfait*		
je	lisais	j'	avais	lu
tu	lisais	tu	avais	lu
il	lisait	il	avait	lu
nous	lisions	n.	avions	lu
vous	lisiez	v.	aviez	lu
ils	lisaient	ils	avaient	lu

Passé simple		*Passé antérieur*		
je	lus	j'	eus	lu
tu	lus	tu	eus	lu
il	lut	il	eut	lu
nous	lûmes	n.	eûmes	lu
vous	lûtes	v.	eûtes	lu
ils	lurent	ils	eurent	lu

Futur simple		*Futur antérieur*		
je	lirai	j'	aurai	lu
tu	liras	tu	auras	lu
il	lira	il	aura	lu
nous	lirons	n.	aurons	lu
vous	lirez	v.	aurez	lu
ils	liront	ils	auront	lu

SUBJONCTIF

Présent		*Passé*		
que je	lise	que j'	aie	lu
que tu	lises	que tu	aies	lu
qu'il	lise	qu'il	ait	lu
que n.	lisions	que n.	ayons	lu
que v.	lisiez	que v.	ayez	lu
qu'ils	lisent	qu'ils	aient	lu

Imparfait		*Plus-que-parfait*		
que je	lusse	que j'	eusse	lu
que tu	lusses	que tu	eusses	lu
qu'il	lût	qu'il	eût	lu
que n.	lussions	que n.	eussions	lu
que v.	lussiez	que v.	eussiez	lu
qu'ils	lussent	qu'ils	eussent	lu

IMPERATIF

Présent	*Passé*	
lis	aie	lu
lisons	ayons	lu
lisez	ayez	lu

CONDITIONNEL

Présent		*Passé 1re forme*		
je	lirais	j'	aurais	lu
tu	lirais	tu	aurais	lu
il	lirait	il	aurait	lu
n.	lirions	n.	aurions	lu
v.	liriez	v.	auriez	lu
ils	liraient	ils	auraient	lu

Passé 2e forme		
j'	eusse	lu
tu	eusses	lu
il	eût	lu
n.	eussions	lu
v.	eussiez	lu
ils	eussent	lu

INFINITIF

Présent	*Passé*
lire	avoir lu

PARTICIPE

Présent	*Passé*
lisant	lu, lue ayant lu

Ainsi se conjuguent **élire, réélire, relire.**

INDICATIF

Présent		**Passé composé**		
je	dis	j'	ai	dit
tu	dis	tu	as	dit
il	dit	il	a	dit
nous	disons	n.	avons	dit
vous	dites	v.	avez	dit
ils	disent	ils	ont	dit

Imparfait		**Plus-que-parfait**		
je	disais	j'	avais	dit
tu	disais	tu	avais	dit
il	disait	il	avait	dit
nous	disions	n.	avions	dit
vous	disiez	v.	aviez	dit
ils	disaient	ils	avaient	dit

Passé simple		**Passé antérieur**		
je	dis	j'	eus	dit
tu	dis	tu	eus	dit
il	dit	il	eut	dit
nous	dîmes	n.	eûmes	dit
vous	dîtes	v.	eûtes	dit
ils	dirent	ils	eurent	dit

Futur simple		**Futur antérieur**		
je	dirai	j'	aurai	dit
tu	diras	tu	auras	dit
il	dira	il	aura	dit
nous	dirons	n.	aurons	dit
vous	direz	v.	aurez	dit
ils	diront	ils	auront	dit

SUBJONCTIF

Présent		**Passé**		
que je	dise	que j'	aie	dit
que tu	dises	que tu	aies	dit
qu'il	dise	qu'il	ait	dit
que n.	disions	que n.	ayons	dit
que v.	disiez	que v.	ayez	dit
qu'ils	disent	qu'ils	aient	dit

Imparfait		**Plus-que-parfait**		
que je	disse	que j'	eusse	dit
que tu	disses	que tu	eusses	dit
qu'il	dît	qu'il	eût	dit
que n.	dissions	que n.	eussions	dit
que v.	dissiez	que v.	eussiez	dit
qu'ils	dissent	qu'ils	eussent	dit

IMPERATIF

Présent	**Passé**	
dis	aie	dit
disons	ayons	dit
dites	ayez	dit

CONDITIONNEL

Présent		**Passé 1re forme**		
je	dirais	j'	aurais	dit
tu	dirais	tu	aurais	dit
il	dirait	il	aurait	dit
n.	dirions	n.	aurions	dit
v.	diriez	v.	auriez	dit
ils	diraient	ils	auraient	dit

Passé 2e forme		
j'	eusse	dit
tu	eusses	dit
il	eût	dit
n.	eussions	dit
v.	eussiez	dit
ils	eussent	dit

INFINITIF

Présent	**Passé**
dire	avoir dit

PARTICIPE

Présent	**Passé**
disant	dit, ite ayant dit

Ainsi se conjugue **redire. Contredire, dédire, interdire, médire** et **prédire** ont au présent de l'indicatif et de l'impératif les formes : *(vous) contredisez, dédisez, interdisez, médisez, prédisez.* Quant à **maudire,** il se conjugue sur **finir :** *nous maudissons, vous maudissez, ils maudissent, je maudissais,* etc., *maudissant,* sauf au participe passé : *maudit, ite.*

79 VERBE **RIRE**

INDICATIF

Présent		***Passé composé***		
je	ris	j'	ai	ri
tu	ris	tu	as	ri
il	rit	il	a	ri
nous	rions	n.	avons	ri
vous	riez	v.	avez	ri
ils	rient	ils	ont	ri

Imparfait		***Plus-que-parfait***		
je	riais	j'	avais	ri
tu	riais	tu	avais	ri
il	riait	il	avait	ri
nous	riions	n.	avions	ri
vous	riiez	v.	aviez	ri
ils	riaient	ils	avaient	ri

Passé simple		***Passé antérieur***		
je	ris	j'	eus	ri
tu	ris	tu	eus	ri
il	rit	il	eut	ri
nous	rîmes	n.	eûmes	ri
vous	rîtes	v.	eûtes	ri
ils	rirent	ils	eurent	ri

Futur simple		***Futur antérieur***		
je	rirai	j'	aurai	ri
tu	riras	tu	auras	ri
il	rira	il	aura	ri
nous	rirons	n.	aurons	ri
vous	rirez	v.	aurez	ri
ils	riront	ils	auront	ri

SUBJONCTIF

Présent		***Passé***		
que je	rie	que j'	aie	ri
que tu	ries	que tu	aies	ri
qu'il	rie	qu'il	ait	ri
que n.	riions	que n.	ayons	ri
que v.	riiez	que v.	ayez	ri
qu'ils	rient	qu'ils	aient	ri

Imparfait (rare)		***Plus-que-parfait***		
que je	risse	que j'	eusse	ri
que tu	risses	que tu	eusses	ri
qu'il	rît	qu'il	eût	ri
que n.	rissions	que n.	eussions	ri
que v.	rissiez	que v.	eussiez	ri
qu'ils	rissent	qu'ils	eussent	ri

IMPERATIF

Présent	***Passé***	
ris	aie	ri
rions	ayons	ri
riez	ayez	ri

CONDITIONNEL

Présent		***Passé 1re forme***		
je	rirais	j'	aurais	ri
tu	rirais	tu	aurais	ri
il	rirait	il	aurait	ri
n.	ririons	n.	aurions	ri
v.	ririez	v.	auriez	ri
ils	riraient	ils	auraient	ri

Passé 2e forme

j'	eusse	ri
tu	eusses	ri
il	eût	ri
n.	eussions	ri
v.	eussiez	ri
ils	eussent	ri

INFINITIF

Présent	***Passé***
rire	avoir ri

PARTICIPE

Présent	***Passé***
riant	ri ayant ri

Remarquer les deux **i** de suite aux deux premières personnes du pluriel de l'imparfait de l'indicatif et du présent du subjonctif. Ainsi se conjugue **sourire**

INDICATIF

Présent	*Passé composé*
j' écris	j' ai écrit
tu écris	tu as écrit
il écrit	il a écrit
nous écrivons	n. avons écrit
vous écrivez	v. avez écrit
ils écrivent	ils ont écrit

Imparfait	*Plus-que-parfait*
j' écrivais	j' avais écrit
tu écrivais	tu avais écrit
il écrivait	il avait écrit
nous écrivions	n. avions écrit
vous écriviez	v. aviez écrit
ils écrivaient	ils avaient écrit

Passé simple	*Passé antérieur*
j' écrivis	j' eus écrit
tu écrivis	tu eus écrit
il écrivit	il eut écrit
nous écrivîmes	n. eûmes écrit
vous écrivîtes	v. eûtes écrit
ils écrivirent	ils eurent écrit

Futur simple	*Futur antérieur*
j' écrirai	j' aurai écrit
tu écriras	tu auras écrit
il écrira	il aura écrit
nous écrirons	n. aurons écrit
vous écrirez	v. aurez écrit
ils écriront	ils auront écrit

SUBJONCTIF

Présent	*Passé*
que j' écrive	que j' aie écrit
que tu écrives	que tu aies écrit
qu'il écrive	qu'il ait écrit
que n. écrivions	que n. ayons écrit
que v. écriviez	que v. ayez écrit
qu'ils écrivent	qu'ils aient écrit

Imparfait	*Plus-que-parfait*
que j' écrivisse	que j' eusse écrit
que tu écrivisses	que tu eusses écrit
qu'il écrivît	qu'il eût écrit
que n. écrivissions	que n. eussions écrit
que v. écrivissiez	que v. eussiez écrit
qu'ils écrivissent	qu'ils eussent écrit

IMPERATIF

Présent	*Passé*
écris	aie écrit
écrivons	ayons écrit
écrivez	ayez écrit

CONDITIONNEL

Présent	*Passé 1re forme*	*Passé 2e forme*
j' écrirais	j' aurais écrit	j' eusse écrit
tu écrirais	tu aurais écrit	tu eusses écrit
il écrirait	il aurait écrit	il eût écrit
n. écririons	n. aurions écrit	n. eussions écrit
v. écririez	v. auriez écrit	v. eussiez écrit
ils écriraient	ils auraient écrit	ils eussent écrit

INFINITIF

Présent	*Passé*
écrire	avoir écrit

PARTICIPE

Présent	*Passé*
écrivant	écrit, ite ayant écrit

Ainsi se conjuguent **récrire, décrire,** et tous les composés en **-scrire** (page 119).

81

VERBE **CONFIRE**

INDICATIF

Présent		Passé composé		
je	confis	j'	ai	confit
tu	confis	tu	as	confit
il	confit	il	a	confit
nous	confisons	n.	avons	confit
vous	confisez	v.	avez	confit
ils	confisent	ils	ont	confit

Imparfait		Plus-que-parfait		
je	confisais	j'	avais	confit
tu	confisais	tu	avais	confit
il	confisait	il	avait	confit
nous	confisions	n.	avions	confit
vous	confisiez	v.	aviez	confit
ils	confisaient	ils	avaient	confit

Passé simple		Passé antérieur		
je	confis	j'	eus	confit
tu	confis	tu	eus	confit
il	confit	il	eut	confit
nous	confîmes	n.	eûmes	confit
vous	confîtes	v.	eûtes	confit
ils	confirent	ils	eurent	confit

Futur simple		Futur antérieur		
je	confirai	j'	aurai	confit
tu	confiras	tu	auras	confit
il	confira	il	aura	confit
nous	confirons	n.	aurons	confit
vous	confirez	v.	aurez	confit
ils	confiront	ils	auront	confit

SUBJONCTIF

Présent		Passé		
que je	confise	que j'	aie	confit
que tu	confises	que tu	aies	confit
qu'il	confise	qu'il	ait	confit
que n.	confisions	que n.	ayons	confit
que v.	confisiez	que v.	ayez	confit
qu'ils	confisent	qu'ils	aient	confit

Imparfait		Plus-que-parfait		
que je	confisse	que j'	eusse	confit
que tu	confisses	que tu	eusses	confit
qu'il	confît	qu'il	eût	confit
que n.	confissions	que n.	eussions	confit
que v.	confissiez	que v.	eussiez	confit
qu'ils	confissent	qu'ils	eussent	confit

IMPERATIF

Présent	Passé	
confis	aie	confit
confisons	ayons	confit
confisez	ayez	confit

CONDITIONNEL

Présent		Passé 1re forme		
je	confirais	j'	aurais	confit
tu	confirais	tu	aurais	confit
il	confirait	il	aurait	confit
n.	confirions	n.	aurions	confit
v.	confiriez	v.	auriez	confit
ils	confiraient	ils	auraient	confit

Passé 2e forme

j'	eusse	confit
tu	eusses	confit
il	eût	confit
n.	eussions	confit
v.	eussiez	confit
ils	eussent	confit

INFINITIF

Présent	Passé
confire	avoir confit

PARTICIPE

Présent	Passé
confisant	confit, ite ayant confit

Circoncire, tout en se conjuguant sur **confire,** fait au participe passé *circoncis, ise.*
Frire n'est usité qu'au singulier du présent de l'indicatif et de l'impératif : *je fris, tu fris, il frit, fris;* rarement au futur et au conditionnel : *je frirai... je frirais...;* au participe passé *frit, frite,* et aux temps composés formés avec l'auxiliaire **avoir.** Aux temps et aux personnes où **frire** est défectif, on lui substitue le verbe **faire frire,** du moins quand **frire** devrait être employé au sens transitif : *Ils font frire du poisson.* Le verbe **frire** peut en effet être employé au sens intransitif : *Le beurre frit dans la poêle.*
Suffire se conjugue sur **confire.** Remarquer toutefois que le participe passé est *suffi* (sans **t**), invariable même à la forme pronominale : *Les pauvres femmes se sont suffi avec peine jusqu'à présent.*

INDICATIF

Présent		**Passé composé**		
je	cuis	j'	ai	cuit
tu	cuis	tu	as	cuit
il	cuit	il	a	cuit
nous	cuisons	n.	avons	cuit
vous	cuisez	v.	avez	cuit
ils	cuisent	ils	ont	cuit

Imparfait		**Plus-que-parfait**		
je	cuisais	j'	avais	cuit
tu	cuisais	tu	avais	cuit
il	cuisait	il	avait	cuit
nous	cuisions	n.	avions	cuit
vous	cuisiez	v.	aviez	cuit
ils	cuisaient	ils	avaient	cuit

Passé simple		**Passé antérieur**		
je	cuisis	j'	eus	cuit
tu	cuisis	tu	eus	cuit
il	cuisit	il	eut	cuit
nous	cuisîmes	n.	eûmes	cuit
vous	cuisîtes	v.	eûtes	cuit
ils	cuisirent	ils	eurent	cuit

Futur simple		**Futur antérieur**		
je	cuirai	j'	aurai	cuit
tu	cuiras	tu	auras	cuit
il	cuira	il	aura	cuit
nous	cuirons	n.	aurons	cuit
vous	cuirez	v.	aurez	cuit
ils	cuiront	ils	auront	cuit

SUBJONCTIF

Présent		**Passé**		
que je	cuise	que j'	aie	cuit
que tu	cuises	que tu	aies	cuit
qu'il	cuise	qu'il	ait	cuit
que n.	cuisions	que n.	ayons	cuit
que v.	cuisiez	que v.	ayez	cuit
qu'ils	cuisent	qu'ils	aient	cuit

Imparfait		**Plus-que-parfait**		
que je	cuisisse	que j'	eusse	cuit
que tu	cuisisses	que tu	eusses	cuit
qu'il	cuisît	qu'il	eût	cuit
que n.	cuisissions	que n.	eussions	cuit
que v.	cuisissiez	que v.	eussiez	cuit
qu'ils	cuisissent	qu'ils	eussent	cuit

IMPERATIF

Présent	**Passé**	
cuis	aie	cuit
cuisons	ayons	cuit
cuisez	ayez	cuit

CONDITIONNEL

Présent		**Passé 1re forme**		
je	cuirais	j'	aurais	cuit
tu	cuirais	tu	aurais	cuit
il	cuirait	il	aurait	cuit
n.	cuirions	n.	aurions	cuit
v.	cuiriez	v.	auriez	cuit
ils	cuiraient	ils	auraient	cuit

Passé 2e forme

j'	eusse	cuit
tu	eusses	cuit
il	eût	cuit
n.	eussions	cuit
v.	eussiez	cuit
ils	eussent	cuit

INFINITIF

Présent	**Passé**
cuire	avoir cuit

PARTICIPE

Présent	**Passé**
cuisant	cuit, uite ayant cuit

Ainsi se conjuguent **conduire, construire, luire, nuire** et leurs composés (page 119). Noter les participes passés invariables : *lui, nui.*
Pour *reluire* comme pour *luire,* le passé simple **je (re)luisis** est supplanté par **je (re)luis... ils (re)luirent.**

LISTE ALPHABÉTIQUE DE TOUS LES VERBES DU 3e GROUPE [1]

22 **aller**
23 **tenir**
abstenir (s')
appartenir
contenir
détenir
entretenir
maintenir
obtenir
retenir
soutenir
venir
advenir
circonvenir
contrevenir
convenir
devenir
disconvenir
intervenir
obvenir
parvenir
prévenir
provenir
redevenir
ressouvenir (se)
revenir
souvenir (se)
subvenir
survenir
24 **acquérir**
conquérir
enquérir (s')
quérir
reconquérir
requérir
25 **sentir**
consentir
pressentir
ressentir
mentir
démentir
partir
départir
repartir
repentir (se)
sortir
ressortir

26 **vêtir**
dévêtir
revêtir
27 **couvrir**
découvrir
recouvrir
ouvrir
entrouvrir
rentrouvrir
rouvrir
offrir
souffrir
28 **cueillir**
accueillir
recueillir
29 **assaillir**
saillir
tressaillir
30 **faillir**
défaillir
31 **bouillir**
débouillir
rebouillir
32 **dormir**
endormir
redormir
rendormir
33 **courir**
accourir
concourir
discourir
encourir
parcourir
recourir
secourir
34 **mourir**
35 **servir**
desservir
resservir
19 (asservir)
36 **fuir**
enfuir (s')
refuir
37 **ouïr**
gésir
38 **recevoir**
apercevoir
concevoir
décevoir
percevoir

39 **voir**
entrevoir
prévoir
revoir
40 **pourvoir**
dépourvoir
41 **savoir**
resavoir
42 **devoir**
redevoir
43 **pouvoir**
44 **mouvoir**
émouvoir
promouvoir
45 **pleuvoir**
repleuvoir
46 **falloir**
47 **valoir**
équivaloir
prévaloir
revaloir
48 **vouloir**
49 **asseoir**
rasseoir
50 **seoir**
messeoir
51 **surseoir**
52 **choir**
déchoir
échoir
53 **rendre**
défendre
descendre
condescendre
redescendre
fendre
pourfendre
refendre
pendre
appendre
dépendre
rependre
suspendre
tendre
attendre
détendre

distendre
entendre
étendre
prétendre
retendre
sous-entendre
sous-tendre
vendre
mévendre
revendre

épandre
répandre

fondre
confondre
morfondre (se)
parfondre
refondre
pondre
répondre
correspondre
tondre
retondre

perdre
reperdre

mordre
démordre
remordre
tordre
détordre
distordre
retordre

rompre
corrompre
interrompre

foutre
contrefoutre (se)
54 **prendre**
apprendre
comprendre
déprendre
désapprendre
entreprendre
éprendre (s')
méprendre (se)
réapprendre
reprendre
surprendre

55 battre
abattre
combattre
contrebattre
débattre
ébattre (s')
embattre
rabattre
rebattre
56 mettre
admettre
commettre
compromettre
démettre
émettre
entremettre (s')
omettre
permettre
promettre
réadmettre
remettre
retransmettre
soumettre
transmettre
57 peindre
dépeindre
repeindre
astreindre
étreindre
restreindre
atteindre
aveindre
ceindre
enceindre
empreindre
épreindre
enfreindre
feindre
geindre
teindre
déteindre
éteindre
reteindre
58 joindre
adjoindre
conjoindre
disjoindre
enjoindre
rejoindre
oindre
poindre
59 craindre
contraindre
plaindre
60 vaincre
convaincre
61 traire
abstraire
distraire
extraire
retraire
soustraire
braire
62 faire
contrefaire
défaire
forfaire
malfaire
méfaire
parfaire
redéfaire
refaire
satisfaire
surfaire
63 plaire
complaire
déplaire
taire
64 connaître
méconnaître
reconnaître
paraître
apparaître
comparaître
disparaître
réapparaître
recomparaître
reparaître
transparaître
65 naître
renaître
66 paître
repaître
67 croître
accroître
décroître
recroître
68 croire
accroire
69 boire
emboire
70 clore
déclore
éclore
enclore
forclore
71 conclure
exclure
inclure
occlure
reclure
72 absoudre
dissoudre
résoudre
73 coudre
découdre
recoudre
74 moudre
émoudre
remoudre
75 suivre
ensuivre (s')
poursuivre
76 vivre
revivre
survivre
77 lire
élire
réélire
relire
78 dire
contredire
dédire
interdire
19 (maudire)
médire
prédire
redire
79 rire
sourire
80 écrire
circonscrire
décrire
inscrire
prescrire
proscrire
récrire
réinscrire
retranscrire
souscrire
transcrire
81 confire
déconfire
circoncire
frire
suffire
82 cuire
recuire
conduire
déduire
éconduire
enduire
induire
introduire
produire
reconduire
réduire
réintroduire
renduire
reproduire
retraduire
séduire
traduire
construire
détruire
instruire
reconstruire
luire
entre-luire
reluire
nuire
entre-nuire (s')

1. Classés dans l'ordre des tableaux de conjugaison où se trouve entièrement conjugué soit le verbe lui-même, soit le verbe type (en gras) qui lui sert de modèle, à l'auxiliaire près.

LE CHOIX DE L'AUXILIAIRE

Se conjuguent avec être ou avoir (◊), selon la nuance de l'emploi, les verbes :

apparaître[1]
atterrir
augmenter
camper
changer
chavirer
convenir
crever
crouler
croupir
déborder
décamper
déchoir
décroître
dégeler
dégénérer
déménager
demeurer
dénicher
descendre[2]
diminuer
disconvenir[3]
disparaître[4]
divorcer
échapper[5]
échouer
éclore[6]
embellir
empirer
enlaidir
expirer
faillir
grandir
grossir
maigrir
monter[7]
paraître
passer
pourrir
rajeunir
ressusciter
résulter
sonner
stationner
tourner
trébucher
trépasser
vieillir

1. **Apparaître,** selon les grammairiens et l'Académie, se construit, comme *disparaître,* indifféremment avec les auxiliaires **être** ou **avoir :** *Les spectres lui* **ont** *apparu* ou *lui* **sont** *apparus* (Ac.). Il semble cependant préférable d'employer **avoir** si l'on considère l'action : *Les patriarches lui dressèrent des autels en certains endroits où il leur* **avait** *apparu* (Massillon) ; **être** si l'on considère le résultat : *Elle m'***est** *apparue avec trop d'avantage* (Racine). Mais l'usage tend à généraliser l'auxiliaire **être,** même quand on considère uniquement l'action : *Cet homme m'***est** *apparu au moment où je le croyais bien loin* (Ac.).

2. **Descendre.** Quand on veut insister sur le résultat, on emploie toujours l'auxiliaire **être :** *Il* **est** *descendu chez des amis* (Ac.). Mais, même pour indiquer l'action, l'auxiliaire **être** s'emploie plus couramment qu'**avoir :** *Nous* **sommes** *aussitôt descendus de voiture.* Cependant on peut correctement écrire : *Il* **a** *descendu bien promptement* (Ac.).

3. **Disconvenir,** comme **convenir,** se conjugue avec l'auxiliaire **être** au sens de *ne pas convenir d'une chose, la nier,* avec l'auxiliaire **avoir** au sens de *ne pas convenir à,* mais cette acception est désuète.

4. **Disparaître,** comme **apparaître,** prend normalement l'auxiliaire **avoir** pour exprimer l'action, l'auxiliaire **être** pour exprimer l'état résultant de cette action. Quand, avec l'Académie, je dis : *Le soleil* **a** *disparu derrière l'horizon,* j'indique qu'à un moment donné le soleil a fait, apparemment, l'action de descendre par-delà la ligne d'horizon. Mais si, constatant l'absence du soleil dans le ciel, je veux exprimer l'état consécutif à cette disparition, je dirai : *Le soleil* **est** *disparu.*

5. **Échapper** veut toujours l'auxiliaire **avoir** au sens de *n'être pas saisi, n'être pas compris : Votre demande* **m'avait** *d'abord échappé.* Au sens de *être dit* ou *fait par inadvertance,* il prend l'auxiliaire **être :** *Il est impossible qu'une pareille bévue lui* **soit** *échappée* (Ac.). Au sens de *s'enfuir,* il utilise **avoir** ou **être** selon que l'on insiste sur l'action ou sur l'état : *Le prisonnier* **a** *échappé. Il* **est** *échappé de prison.* Noter le participe passé non accordé dans l'expression : *Il l'a* **échappé** *belle.*

6. **Éclore.** On emploie parfois l'auxiliaire **avoir** pour insister sur l'action elle-même : *Ces poussins* **ont** *éclos ce matin; ceux-là* **sont** *éclos depuis hier.* Mais l'auxiliaire **être** est toujours possible : *Ces fleurs* **sont** *écloses cette nuit* (Ac.).

7. **Monter,** verbe intransitif, est conjugué normalement avec l'auxiliaire **être :** *Il* **est** *monté à sa chambre* (Ac.). Cependant, pour insister sur l'action en train de se faire, il peut se construire avec l'auxiliaire **avoir;** particulièrement dans certaines expressions consacrées par l'usage : *Il est hors d'haleine pour* **avoir** *monté trop vite* (Ac.). *La Seine* **a** *monté; le thermomètre* **a** *monté; les prix* **ont** *monté.*

CODE DES SIGNES DU DICTIONNAIRE

battre	Ces verbes sont particulièrement fréquents (voir l'Échelle Dubois-Buyse qui correspond au vocabulaire que devraient connaître les enfants en fin de primaire).
aimer 6	Renvoi aux verbes types dans les tableaux.
19	Renvoi aux tableaux (soit au modèle soit aux notes).
à, de, etc.	Rappel de la préposition régie par le verbe.
I	Verbe ou emploi intransitif.
T	Verbe ou emploi transitif direct.
P	Verbe ou emploi pronominal.
P	Participe invariable dans l'emploi pronominal : *ils se sont* ***plu***.
♦	Ce verbe se conjugue avec *être*.
◊	Ce verbe se conjugue avec *être* OU *avoir* (cf. p. 120).
D	Verbe défectif.
il	Verbe ou emploi impersonnel.
≃	Ne s'emploie que sous cette forme.

a

abaisser, T, P, de, par 6
abandonner, T, P. 6
abasourdir, T, de, par 19
abâtardir, T, P 19
abattre, T, P 55
abdiquer, I, T, devant 6
aberrer, I 6
abêtir, T, P 19
abhorrer, T 6
abîmer, T, P, dans 6
abjurer, I, T 6
abloquer, T 6
abolir, T 19
abominer, T 6
abonder, I 6
abonner, T, P 6
abonnir, T, P 19
aborder, I, T 6
aboucher, T, P 6
abouler, T, P 6
abouter, T 6
aboutir, I 19
aboyer, I 17
abraser, T 6
abréger, T 14
abreuver, T, P 6
abricoter, T 6
abriter, T, P 6
abroger, T 8
abrutir, T, P 19
absenter, P 6
absorber, T, P 6
absoudre, T 72
abstenir, P 23
abstraire, T, P 61
abuser, T, P, de 6
acagnarder, P 6
accabler, T 6
accaparer, T 6
accastiller, T 6
accéder, à 10
accélérer, T, P 10
accentuer, T, P 6
accepter, T 6
accidenter, T 6
acclamer, T 6
acclimater, T, P 6
accointer, P 6
accoler, T 6
accommoder, T, P 6
accompagner, T, P 6
accomplir, T, P 19
accorder, T, P 6
accorer, T 6
accoster, T, P 6
accoter, T, P 6
accoucher, I, ◊, T, de 6
accouder, P 6
accouer, T 6
accoupler, T, P 6
accourcir, I 19
accourir, I, ◊ 33
accoutrer, T, P 6
accoutumer, T, P 6
accréditer, T, P 6
accrocher, I, T, P 6
accroire, T D
≃ infinitif
accroître, T, P 67
accroupir, P 19
accueillir, T 28
acculer, T 6
acculturer, T 6
accumuler, T, P 6
accuser, T, P 6
acenser, T 6
acérer, T 10
acétifier, T 15
acétyler, T 6
achalander, T 6
acharner, T, P 6
acheminer, T, P 6
acheter, T, P 12
achever, T, P 9
achopper, sur, à, P 6
acidifier, T, P 15
aciduler, T 6
aciérer, T 10
aciseler, T 12
acoquiner, P 6
acquérir, T, P 24
acquiescer, I, à 7
acquitter, T, P 6
acter, T 6
actionner, T 6
activer, I, T, P 6
actualiser, T 6
adapter, T, P 6
additionner, T, P 6
adhérer, à 10
adjectiver, T 6
adjectiviser, T 6
adjoindre, T, P 58
adjuger, T, P 8
adjurer, T 6
admettre, T 56
administrer, T, P 6
admirer, T 6
admonester, T 6
adoniser, P 6
adonner, P 6
adopter, T 6
adorer, T 6
adosser, T, P 6
adouber, I, T 6
adoucir, T, P 19
adresser, T, P 6
adsorber, T 6
aduler, T 6
adultérer, T 10

- advenir, I, ♦, il 23
- **aérer,** T, P 10
- affabuler, T 6
- affadir, T, P 19
- **affaiblir,** T, P 19
- affairer, P 6
- affaisser, T, P 6
- affaler, T, P 6
- affamer, T 6
- afféager, T 8
- affecter, T 6
- affectionner, T 6
- afférer, I 10
- affermer, T 6
- affermir, T, P 19
- afficher, T, P 6
- affiler, T 6
- affilier, T, P 15
- affiner, T, P 6
- affirmer, T, P 6
- affleurer, I, T 6
- **affliger,** T, P 8
- afflouer, T 6
- affluer, I 6
- affoler, I, T, P 6
- affouager, T 8
- affourcher, T 6
- affour(r)ager, T ... 8
- affranchir, T, P 19
- affréter, T 10
- affriander, T 6
- affricher, T 6
- affrioler, T 6
- affriter, T 6
- affronter, T, P 6
- affruiter, I 6
- affubler, T, P 6
- affurer, I, T 6
- affûter, T 6
- **agacer,** T, P 7
- agencer, T, P 7
- **agenouiller,** P ... 6
- agglomérer, T, P ... 10
- agglutiner, T, P 6
- aggraver, T, P 6
- agioter, I 6
- **agir,** I, P, il, de 19
- **agiter,** T, P 6
- agneler, I 11
- agonir, T 19
- agoniser, I 6
- agrafer, T 6
- agrandir, T, P 19
- agréer, T, à 13
- agréger, T, P 14
- agrémenter, T 6
- agresser, T 6
- agricher, T 6
- agriffer, P 6
- agripper, T, P 6
- aguerrir, T, P 19
- aguicher, T 6
- ahaner, I 6
- aheurter, P 6
- ahurir, T 19
- aider, T, à, P, de 6
- aigrir, I, T, P 19
- aiguiller, T 6
- aiguilleter, T 11
- aiguillonner, T 6
- **aiguiser,** T, P 6
- ailler, T 6
- aimanter, T 6
- **aimer,** T, P 6
- airer, I 6
- ajointer, T 6
- ajourer, T 6
- ajourner, T 6
- **ajouter,** T, P 6
- ajuster, T, P 6
- alambiquer, T 6
- alanguir, T, P 19
- alarmer, T, P 6
- alcaliniser, T 6
- alcaliser, T 6
- alcooliser, T, P 6
- alentir, T 19
- alerter, T 6
- aléser, T 10
- aleviner, T 6
- aliéner, T, P 10
- aligner, T, P 6
- alimenter, T, P 6
- aliter, T, P 6
- allaiter, T 6
- allécher, T 10
- alléger, T 14
- allégir, T 19
- allégoriser, T 6
- alléguer, T 10
- **aller,** I, ♦, P, en 22
- **allier,** T, P 15
- **allonger,** I, T, P ... 8
- allouer, T 6
- **allumer,** T, P 6
- alluvionner, I 6
- alourdir, T, P 19
- alpaguer, T 6
- alphabétiser, T 6
- altérer, T, P 10
- alterner, I, T 6
- aluminer, T 6
- aluner, T 6
- alunir, I, ◊ 19
- amadouer, T 6
- amaigrir, T, P 19
- amalgamer, T, P ... 6
- amariner, T, P 6
- amarrer, T 6
- amasser, T, P 6
- amatir, T 19
- ambitionner, T 6
- ambler, I 6
- ambrer, T 6
- améliorer, T, P 6
- aménager, T 8
- amender, T, P 6
- **amener,** T, P 9
- amenuiser, T, P 6

amerrir, I, ◊ 19
ameublir, T 19
ameuter, T 6
amidonner, T 6
amincir, T, P 19
amnistier, T. 15
amodier, T 15
amoindrir, T 19
amollir, T, P. 19
amonceler, T, P. . . . 11
amorcer, T, P. 7
amordancer, T 7
amortir, T, P 19
amouracher, P 6
amplifier, T, P 15
amputer, T 6
amuïr, P 19
amurer, T 6
amuser, T, P 6
analgésier, T. 15
analyser, T, P 6
anastomoser, P . . . 6
anathématiser, T . . 6
ancrer, T, P 6
anéantir, T, P. 19
anémier, T. 15
anesthésier, T. 15
anglaiser, T. 6
angliciser, T, P 6
angoisser, T 6
anhéler, I 10
animaliser, T. 6
animer, T, P. 6
aniser, T 6
ankyloser, T, P 6
anneler, T 11
annexer, T, P. 6
annihiler, T 6
annoncer, T, P . . . 7
annoter, T. 6
annuler, T, P 6
anoblir, T, P 19
ânonner, T 6

anordir, I. 19
anticiper, I, T 6
antidater, T. 6
aoûter, T, P 6
apaiser, T, P 6
apanager, T 8
apercevoir, T, P, de 38
apeurer, T. 6
apiquer, T. 6
apitoyer, T, P. 17
aplanir, T, P. 19
aplatir, T, P 19
apostasier, I 15
aposter, T 6
apostiller, T. 6
apostropher, T 6
appairer, T 6
apparaître, I, ◊. . . 64
appareiller, T 6
apparenter, P 6
apparier, T 15
apparoir . . . . D
≃il appert
appartenir, à, P . . 23
appâter, T 6
appauvrir, T, P 19
appeler, T, P 11
appendre, T 53
appesantir, T, P. . . . 19
appéter, T 10
applaudir, T, P . . . 19
appliquer, T, P . . . 6
appointer, T, P 6
appointir, T. 19
apponter, I 6
apporter, T. 6
apposer, T. 6
apprécier, T 15
appréhender, T. . . . 6
apprendre, T, P . . 54
apprêter, T, P 6
apprivoiser, T, P . . . 6
approcher, T, P, de 6

approfondir, T, P . . 19
approprier, T, P. . . . 15
approuver, T 6
approvisionner, T, P 6
appuyer, T, P 17
apurer, T. 6
araser, T 6
arbitrer, T 6
arborer, T 6
arboriser, I 6
arc-bouter, T, P . . . 6
archaïser, I 6
architecturer, T. . . . 6
archiver, T. 6
arçonner, T. 6
ardoiser, T. 6
argenter, T. 6
argotiser, I 6
arguer [arge], T. . . 6
arguer [argye], T, de 6
argumenter, I 6
armer, T, P 6
armorier, T 15
arnaquer, T. 6
aromatiser, T 6
arpéger, I, T 14
arpenter, T 6
arquer, I, T, P. 6
arracher, T, P 6
arraisonner, T. 6
arranger, T, P 8
arrenter, T. 6
arrérager, I, P 8
arrêter, I, T, P 6
arriérer, T, P. 6
arrimer, T 6
ar(r)iser, I. 6
arriver, I, ♦ 6
arroger, P 8
arrondir, T, P 19
arroser, T 6
arsouiller, P 6
articuler, T, P. 6

b

ascensionner, I, T	6
aseptiser, T	6
aspecter, T	6
asperger, T, P	8
asphalter, T	6
asphyxier, T, P	15
aspirer, T, à	6
assagir, T, P	19
assaillir, T	29
assainir, T	19
assaisonner, T	6
assarmenter, T	6
assassiner, T	6
assavoir	D
≃ infinitif	
assécher, T, P	10
assembler, T, P	6
assener, T	9
aussi asséner, T	10
asseoir, T, P	49
assermenter, T	6
asservir, T, P	19
assibiler, T, P	6
assiéger, T	14
assigner, T	6
assimiler, T, P	6
assister, T, à	6
associer, T, P	15
assoler, T	6
assombrir, T, P	19
assommer, T	6
assoner, I	6
assortir, T, P	19
assoupir, T, P	19
assouplir, T, P	19
assourdir, T	19
assouvir, T, P	19
assujettir, T, P	19
assumer, T, P	6
assurer, T, P	6
asticoter, T	6
astiquer, T	6
astreindre, T, P	57
atermoyer, I	17
atomiser, T	6
atrophier, T, P	15
attabler, T, P	6
attacher, T, P	6
attaquer, T, P	6
attarder, T, P	6
atteindre, T	57
atteler, T, P, à	11
attendre, I, T, P, à	53
attendrir, T, P	19
attenter, T, à	6
atténuer, T, P	6
atterrer, T	6
atterrir, I, ◊	19
attester, T	6
attiédir, T, P	19
attifer, T, P	6
attiger, I	8
attirer, T	6
attiser, T	6
attitrer, T	6
attraper, T, P	6
attribuer, T, P	6
attriquer, T	6
attrister, T, P	6
attrouper, T, P	6
auditionner, T	6
augmenter, I, ◊, T, P	6
augurer, T	6
auréoler, T, P	6
aurifier, T	15
ausculter, T	6
authentifier, T	15
authentiquer, T	6
autodéterminer, P	6
autofinancer, P	7
autographier, T	15
autoguider, P	6
automatiser, T	6
autopsier, T	15
autoriser, T, P	6
autosuggestionner, P	6
autotomiser, P	6
avachir, T, P	19
avaler, T	6
avaliser, T	6
avancer, I, T, P	7
avantager, T	8
avarier, T	15
avenir, I	D
≃ avenant	
aventurer, T, P	6
avérer, T, P	10
avertir, T	19
aveugler, T, P	6
aveulir, T, P	19
avilir, T, P	19
aviner, T	6
aviser, I, T, P, de	6
avitailler, T	6
aviver, T	6
avoir, T	1
avoisiner, T	6
avorter, I	6
avouer, T, P	6
axer, T	6
axiomatiser, T	6
azurer, T	6

b

babiller, I	6
bâcher, T	6
bachoter, I, T	6
bâcler, T	6
badigeonner, T	6
badiner, I	6
baffer, T	6
bafouer, T	6

brimbaler, I, T 6
brimer, T 6
bringueballer, I, T .. 6
brinquebal(l)er, I, T 6
briquer, T 6
briqueter, T 11
briser, T, P 6
brocanter, T 6
brocarder, T 6
brocher, T 6
broder, I, T 6
broncher, I 6
bronzer, I, T, P 6
brosser, I, T, P ... 6
brouetter, T 6
brouillasser, il 6
brouiller, T, P 6
brouillonner, T 6
brouter, I, T 6
broyer, T 17
bruiner, il 6
bruir, T 19
bruire, I, T .... D
≃ il bruit
ils bruissent
il bruissait
ils bruissaient
qu'il bruisse
qu'ils bruissent
p.pr. bruissant
(adj. : bruyant)
bruiter, I 6
brûler, I, T, P 6
brumasser, il 6
brumer, il 6
brunir, I, T, P 19
brusquer, T 6
brutaliser, T 6
bûcher, I, T 6
budgétiser, T 6
bureaucratiser, T, P . 6
buriner, T 6
buter, I, T 6
butiner, I, T 6
butter, T 6
buvoter, I 6

C

cabaler, I 6
cabaner, T 6
câbler, T 6
cabosser, T 6
caboter, I 6
cabotiner, I 6
cabrer, T, P 6
cabrioler, I 6
cacaber, I 6
cacarder, I 6
cacher, T, P 6
cacheter, T 11
cadancher, I 6
cadastrer, T 6
cadenasser, T 6
cadencer, I, T 7
cadrer, I, T 6
cafarder, T 6
cafouiller, I 6
cafter, I, T 6
cagnarder, I 6
cagner, I 6
cahoter, I, T 6
caillebotter, I, T ... 6
cailler, I, P 6
cailleter, I 11
caillouter, T 6
cajoler, T 6
calaminer, P 6
calamistrer, T 6
calancher, I 6
calandrer, T 6
calciner, T 6
calculer, I, T 6
caler, T, P 6
caleter, I, P 12
calfater, T 6
calfeutrer, T, P 6
calibrer, T 6
câliner, T 6
calligraphier, T 15
calmer, T, P 6
calmir, I 19
calomnier, T 15
calorifuger, T 8
calotter, T 6
calquer, T 6
calter, I, P 6
cambrer, T 6
cambrioler, T 6
cambuter, I, T 6
cameloter, I 6
camionner, T 6
camoufler, T 6
camper, I, ◊, T, P .. 6
canaliser, T 6
canarder, I, T 6
cancaner, I 6
candir, T, P 19
caner, I 6
can(n)er, I 6
canneler, T 11
canner, I, T 6
canoniser, T 6
canonner, T 6
canoter, I 6
cantonner, I, T, P .. 6
canuler, I, T 6
caoutchouter, T ... 6
caparaçonner, T, P . 6
capéer, I 13
capeler, T 11
capeyer, I 6
capitaliser, I, T 6
capitonner, T, P ... 6

capituler, I 6
caponner, I. 6
caporaliser, T 6
capoter, I, T 6
capsuler, T 6
capter, T 6
captiver, T, P. 6
capturer, T 6
capuchonner, T . . . 6
caquer, T. 6
caqueter, I 11
caracoler, I 6
caractériser, T, P. . . 6
caramboler, I, T, P . 6
caraméliser, I, T, P . 6
carapater, P 6
carbonater, T 6
carboniser, T 6
carburer, I, T. 6
carcailler, I 6
carder, T 6
carencer, T 7
caréner, T 10
caresser, T. 6
carguer, T 6
caricaturer, T 6
carier, T, P. 15
carillonner, I, T 6
carmer, T. 6
carminer, T 6
carnifier, P 15
carotter, I, T 6
carreler, T 11
carrer, T, P. 6
carrosser, T. 6
carroyer, T 17
cartonner, T 6
cascader, I 6
caséifier, T 15
casemater, T. 6
caser, T, P 6
caserner, T 6
casquer, I, T 6
casser, I, T, P 6
castagner, P 6
castrer, T. 6
cataloguer, T 6
catalyser, T. 6
catapulter, T. 6
catastropher, T. . . . 6
catcher, I 6
catéchiser, T. 6
cauchemarder, I. . . 6
causer, I, T 6
cautériser, T 6
cautionner, T 6
cavalcader, I. 6
cavaler, I, T, P 6
caver, I, T, P 6
caviarder, T. 6
céder, I, T 10
ceindre, T 57
ceinturer, T. 6
célébrer, T 10
celer, T 12
cémenter, T 6
cendrer, T 6
censurer, T 6
centraliser, T. 6
centrer, T 6
centrifuger, T 8
centupler, I, T 6
cercler, T. 6
cerner, T 6
certifier, T 15
cesser, I, T, de 6
chabler, T 6
chagriner, T 6
chahuter, I, T 6
chaîner, T 6
challenger, T 8
chaloir. . . . . D
(peu lui chaut...)
chalouper, I 6
chamailler, P. 6
chamarrer, T. 6
chambarder, T 6
chambouler, T 6
chambrer, T 6
chamoiser, T. 6
champagniser, T . . 6
champlever, T 9
chanceler, I 11
chancir, I, P. 19
chanfreiner, T. 6
changer, I, ◊, T, P . . 8
chansonner, T 6
chanstiquer, I, T . . . 6
chanter, I, T 6
chantonner, I, T . . . 6
chantourner, T 6
chaparder, T. 6
chapeauter, T. 6
chapeler, T 11
chaperonner, T. . . . 6
chapitrer, T. 6
chaponner, T 6
chaptaliser, T 6
charbonner, I, T . . . 6
charcuter, T 6
charger, T, P. 8
charmer, T 6
charpenter, T 6
charrier, I, T 15
charroyer, T 17
chasser, I, T 6
châtier, T. 15
chatonner, I 6
chatouiller, T 6
chatoyer, I 17
châtrer, T 6
chauffer, I, T, P . . 6
chauler, T 6
chaumer, I, T. 6
chausser, I, T, P . . 6
chauvir, I 19
chavirer, I, ◊, T 6
ch(e)linguer, I, T . . 6
cheminer, I. 6

chemiser, T ... 6
chercher, I, T, P ... 6
chérer, I ... 6
chérir, T ... 19
cherrer, I ... 6
chevaler, T ... 6
chevaucher, I, T, P ... 6
cheviller, T ... 6
chevreter, I ... 11
chevronner, T ... 6
chevroter, I ... 6
chiader, T ... 6
chialer, I ... 6
chicaner, I, T ... 6
chicoter, I ... 6
chienner, I ... 6
chier, I, T ... 15
chiffonner, I, T ... 6
chiffrer, I, T ... 6
chiner, T ... 6
chinoiser, I ... 6
chiper, T ... 6
chipoter, I, T, P ... 6
chiquer, I, T ... 6
chirographier, T ... 15
chlorer, T ... 6
chloroformer, T ... 6
chlorurer, T ... 6
choir, I ... 52
choisir, T ... 19
chômer, I, T ... 6
choper, T ... 6
chopiner, I ... 6
chopper, I ... 6
choquer, T ... 6
chosifier, T ... 15
chouchouter, T ... 6
chouraver, T ... 6
chouriner, T ... 6
choyer, T ... 17
christianiser, T ... 6
chromer, T ... 6
chroniquer, I ... 6

chronométrer, T ... 10
chroumer, I, T ... 6
chuchoter, I, T ... 6
chuinter, I ... 6
chuter, I, T ... 6
cicatriser, I, T, P ... 6
ciller, I, T ... 6
cimenter, T ... 6
cinématographier, T 15
cingler, I, T ... 6
cintrer, T ... 6
circoncire, T ... 81
circonscrire, T, P ... 80
circonstancier, T ... 15
circonvenir, T ... 23
circuler, I ... 6
cirer, T ... 6
cisailler, T ... 6
ciseler, T ... 12
citer, T ... 6
civiliser, T, P ... 6
clabauder, I ... 6
claboter, I, T ... 6
claironner, I, T ... 6
clamer, T ... 6
clamper, T ... 6
clamser, I ... 6
claper, T ... 6
clapir, I ... 19
clapoter, I ... 6
clapper, I ... 6
clapser, I ... 6
claquemurer, T ... 6
claquer, I, T, P ... 6
claqueter, I ... 11
clarifier, T ... 15
classer, T, P ... 6
classifier, T ... 15
claudiquer, I ... 6
claustrer, T ... 6
claver, T ... 6
clavet(t)er, T ... 11
clayonner, T ... 6

clicher, T ... 6
cligner, I, T, de ... 6
clignoter, I ... 6
climatiser, T ... 6
cliqueter, I ... 11
clisser, T ... 6
cliver, T, P ... 6
clochardiser, T, P ... 6
clocher, I, T ... 6
cloisonner, T ... 6
cloîtrer, T, P ... 6
clopiner, I ... 6
cloquer, I ... 6
clore, T ... 70
clôturer, I, T ... 6
clouer, T ... 6
clouter, T ... 6
coaguler, I, T, P ... 6
coaliser, T, P ... 6
coasser, I ... 6
cocher, T ... 6
côcher, T ... 6
cochonner, I, T ... 6
cocufier, T ... 15
coder, T ... 6
codifier, T ... 15
coexister, I ... 6
coffrer, T ... 6
cogiter, I, T ... 6
cogner, I, T, P ... 6
cohabiter, I ... 6
cohériter, I ... 6
coiffer, T, P ... 6
coincer, T, P ... 7
coïncider, I ... 6
cokéfier, T ... 15
collaborer, I, à ... 6
collationner, T ... 6
collecter, T, P ... 6
collectionner, T ... 6
collectiviser, T ... 6
coller, I, T, P ... 6
colleter, T ... 11

contagionner, T . . . 6
containeriser, T . . . 6
contaminer, T. 6
contempler, T. 6
contenir, T, P 23
contenter, T, P, de 6
conter, T. 6
contester, I, T, sur . . 6
contingenter, T . . . 6
continuer, I, T, P . 6
contorsionner, T, P. 6
contourner, T 6
contracter, T, P. . . . 6
contractualiser, T. . 6
contracturer, T 6
contraindre, T, P. 59
contrarier, T 15
contraster, I, T 6
contre-attaquer, T . 6
contrebalancer, T. . . 7
contrebattre, T 55
contrebouter, T . . . 6
contrebuter, T 6
ou contre-buter, T. 6
contrecarrer, T 6
contredire, T, P. . . . 78
contrefaire, T 62
contreficher, P 6
contrefoutre, P. . D 53
contre-indiquer, T . 6
contremander, T. . . 6
contre-manifester, I 6
contremarquer, T . . 6
contre-miner, T . . . 6
contre-murer, T . . . 6
contre-passer, T. . . 6
contre-plaquer, T. . 6
contrer, I, T. 6
contre-sceller, T. . . 6
contresigner, T. . . . 6
contre-tirer, T. 6
contrevenir, à 23
contribuer, à 6
contrister, T 6
contrôler, T, P. 6
controuver, T 6
controverser, I, T . . 6
contusionner, T . . . 6
convaincre, T, P, de 60
convenir, I, ◊, T, . .
P, de 23
conventionner, T . . 6
converger, I 8
converser, I 6
convertir, T, P 19
convier, T 15
convoiter, T 6
convoler, I 6
convoquer, T 6
convoyer, T 17
convulser, T, P 6
convulsionner, T . . 6
coopérer, à 10
coopter, T. 6
coordonner, T 6
copier, T 15
copiner, I 6
coquer, T 6
coqueter, I 11
coquiller, I 6
cordeler, T 11
corder, T, P 6
cordonner, T. 6
corner, I, T 6
correspondre, I, à, P 53
corriger, T, P 8
corroborer, T 6
corroder, T 6
corrompre, T, P. . . . 53
corroyer, T 17
corser, T, P 6
corseter, T. 12
cosser, I 6
costumer, T, P. 6
coter, T 6
cotir, T. 19
cotiser, I, P 6
cotonner, T, P. 6
côtoyer, T 17
coucher, I, T, P . . . 6
couder, T 6
coudoyer, T 17
coudre, T 73
couiner, I 6
couler, I, T; P. 6
coulisser, I, T 6
coupailler, T. 6
coupeller, T 6
couper, I, T, P 6
coupler, T. 6
courailler, I. 6
courbaturer, T 6
p.p. : courbaturé
ou courbatu
courber, T, P. 6
courir, I, T. 33
couronner, T, P . . 6
courre, I . . . . D
chasse à courre
courroucer, T, P 7
court-circuiter, T . . 6
courtiser, T. 6
cousiner, I 6
coûter, I, T 6
couturer, T 6
couver, I, T 6
couvrir, T, P 27
cracher, T, P. 6
crachiner, il. 6
crachoter, I. 6
crachouiller, I. 6
crailler, I 6
craindre, T 59
cramer, I, T 6
cramponner, T, P . . 6
crampser, I 6
cramser, I 6
craner, T 6
crâner, I 6

cranter, T 6
crapahuter, I, P. . . . 6
crapaüter, I, P. 6
crapuler, I 6
craqueler, T, P. 11
craquer, I, T 6
craqueter, I. 11
crasser, T 6
cravacher, I, T. 6
cravater, T. 6
crawler, I 6
crayonner, T. 6
crécher, I 10
créditer, T. 6
créer, T 13
crémer, I 10
créneler, T. 11
créner, T 10
créosoter, T 6
crêper, T, P 6
crépir, T. 19
crépiter, I 6
crétiniser, T. 6
creuser, T, P. 6
crevasser, T, P. 6
crever, I, ◊, T, P. . . 9
criailler, I. 6
cribler, T 6
crier, I, T 15
criminaliser, T. 6
crisper, T, P. 6
crisser, I 6
cristalliser, I, T, P . . 6
criticailler, I, T. 6
critiquer, T 6
croasser, I. 6
crocher, I, T 6
crocheter, T 12
croire, I, T, à, P . . . 68
croiser, I, T, P 6
croître, I, ♦ 67
croquer, I, T 6
crosser, T 6
crotter, I, T 6
crouler, I, ♦ 6
croupir, I, ♦ 19
croustiller, I 6
croûter, I, T. 6
crucifier, T 15
cuber, I, T 6
cueillir, T 28
cuirasser, T, P 6
cuire, T 82
cuisiner, T. 6
cuiter, P 6
cuivrer, T. 6
culbuter, I, T. 6
culer, I, T. 6
culminer, I 6
culotter, T, P 6
culpabiliser, T. 6
cultiver, T, P. 6
cumuler, T 6
curer, T, P 6
cureter, T 11
cuveler, T 11
cuver, I, T 6
cylindrer, T. 6

d

dactylographier, T . 15
daguer, T 6
daigner, + inf. T. . . 6
daller, T. 6
damasquiner, T . . . 6
damasser, T 6
damer, T 6
damner, I, T, P. 6
dandiner, T, P. 6
danser, I, T 6
dansotter, I. 6
darder, I, T, P. 6
dater, I, T. 6
dauber, I, T, sur 6
déactiver, T. 6
déambuler, I. 6
débâcher, I, T, P . . . 6
débâcler, I 6
débagouler, I, T . . . 6
déballer, I, T 6
déballonner, P 6
débalourder, T 6
débanaliser, T. 6
débander, T, P 6
débaptiser, T 6
débarbouiller, T, P . 6
débarder, T. 6
débarquer, I, T. . . 6
débarrasser, T, P. 6
débarrer, T 6
débâter, T. 6
débâtir, T 19
débattre, T, P. . . . 55
débaucher, T, P . . . 6
débecqueter, T. . . . 11
débecter, T 6
débiliter, T 6
débillarder, T 6
débiner, T, P 6
débiter, T 6
déblatérer, I, contre . 10
déblayer, T 16
débleuir, T 19
débloquer, I, T 6
débobiner, T. 6
déboiser, T 6
déboîter, I, T, P 6
déborder, I, ◊, T, P. 6
débosseler, T 11
débotter, T 6
déboucher, I, T . . 6
déboucler, T. 6

D
D

déhancher, T, P . . . 6
déharder, T. 6
déharnacher, T. . . . 6
déhotter, I, T, P. . . . 6
déifier, T 15
déjanter, T 6
déjauger, I 8
déjaunir, T 19
déjeter, T, P. 11
déjeuner, de 6
déjouer, T. 6
déjucher, I, T 6
déjuger, P. 8
délabrer, T, P. 6
délacer, T 7
délainer, T. 6
délaisser, T. 6
délaiter, T 6
délarder, T 6
délasser, T, P. 6
délatter, T, P 6
délaver, T 6
délayer, T 16
délecter, T, P. 6
déléguer, T. 10
délester, T, P. 6
délibérer, I, de, T . . . 10
délier, T, P. 15
délimiter, T. 6
délirer, I 6
délisser, T. 6
déliter, T, P 6
délivrer, T. 6
déloger, I, T 8
déloquer, T, P. 6
délover, T 6
délurer, T 6
délustrer, T. 6
déluter, T 6
démaçonner, T. 6
démagnétiser, T . . . 6
démailler, T, P. 6
démailloter, T. 6
démancher, T, P . . . 6
demander, après, T, P 6
démanger, T. 8
démanteler, T. 12
démantibuler, T, P . 6
démaquiller, T, P . . 6
démarier, T, P 15
démarquer, T, P . . . 6
démarrer, I, T 6
démascler, T. 6
démasquer, T, P . . . 6
démastiquer, T. . . . 6
démâter, I, T 6
dématérialiser, T. . . 6
démazouter, I. 6
démêler, T, P. 6
démembrer, T. 6
déménager, I, ◊, T. 8
démener, P. 9
démentir, T, P. 25
démerder, P 6
démériter, I. 6
déméthaniser, T. . . 6
démettre, T, P. 56
démeubler, T 6
demeurer, I, ◊ . . . 6
démieller, T. 6
démilitariser, T. . . . 6
déminer, T 6
déminéraliser, T . . . 6
démissionner, I, T. . 6
démobiliser, T 6
démocratiser, T, P . 6
démoder, P. 6
démolir, T. 19
démonétiser, T. . . . 6
démonter, T, P 6
démontrer, T. 6
démoraliser, T, P. . . 6
démordre, I. 53
démoucheter, T . . . 11
démouler, I, T. 6
démouscailler, P . . 6
démoustiquer, T. . . 6
démultiplier, T 15
démunir, T, P 19
démurer, T 6
démurger, I, T. 8
démuseler, T. 11
démystifier, T. 15
démythifier, T. 15
dénasaliser, T. 6
dénationaliser, T . . 6
dénatter, T 6
dénaturaliser, T . . . 6
dénaturer, T, P 6
dénébuliser, T 6
déneiger, T. 8
dénerver, T. 6
déniaiser, T. 6
dénicher, I, ◊, T. . . . 6
dénickeler, T. 6
dénicotiniser, T . . . 6
dénier, T 15
dénigrer, T 6
dénitrer, T. 6
dénitrifier, T 15
déniveler, T. 11
dénombrer, T 6
dénommer, T 6
dénoncer, T 7
dénoter, T. 6
dénouer, T, P 6
dénoyauter, T. 6
dénoyer, T 17
denteler, T 11
dénucléariser, T . . . 6
dénuder, T, P 6
dénuer, P 6
dépailler, T 6
dépaisseler, T. 11
dépalisser, T. 6
dépanner, T 6
dépaqueter, T. 11
déparaffiner, T 6
dépareiller, T 6

déparer, T 6
déparier, T 15
départager, T 8
départir, T, P, de . . . 25
dépasser, I, T, P . . 6
dépassionner, T . . . 6
dépatouiller, P 6
dépaver, T. 6
dépayser, T. 6
dépecer, T. . . c/ç 7
e/è 9
dépêcher, T, P . . . 6
dépeigner, T. 6
dépeindre, T. 57
dépelotonner, T . . . 6
dépendre, ça, de, I . 53
dépenser, T, P . . . 6
dépérir, I. 19
dépersonnaliser, T . 6
dépêtrer, T, P 6
dépeupler, T, P. . . . 6
déphaser, T. 6
dépiauter, T 6
dépiler, T. 6
dépingler, T 6
dépiquer, T. 6
dépister, T. 6
dépiter, T, P 6
déplacer, T, P 7
déplafonner, T 6
déplaire, I,P 63
déplanquer, T, P. . . 6
déplanter, T 6
déplâtrer, T. 6
déplier, T, P. 15
déplisser, T, P 6
déplomber, T 6
déplorer, T 6
déployer, T, P 17
déplumer, T, P 6
dépoétiser, T 6
dépointer, T 6
dépolariser, T 6
dépolir, T, P 19
dépolitiser, T 6
dépolluer, T 6
dépolymériser, T . . 6
dépontiller, I. 6
déporter, T, P 6
déposer, I, T, P . . . 6
déposséder, T. 10
dépoter, T. 6
dépoudrer, T. 6
dépouiller, T, P . . 6
dépourvoir, T, P . . . 40
dépoussiérer, T . . . 10
dépraver, T 6
déprécier, T, P. 15
déprendre, P, de . . . 54
déprimer, T. 6
dépriser, T. 6
déprolétariser, T. . . 6
dépropaniser, T . . . 6
dépuceler, T 11
dépulper, T. 6
dépurer, T. 6
députer, T. 6
déquiller, T 6
déraciner, T 6
dérader, I 6
dérager, I 8
déraidir, T, P 19
dérailler, I 6
déraisonner, I. 6
déranger, T, P. . . . 8
déraper, I 6
déraser, T 6
dérater, T 6
dératiser, T 6
dérayer, I, T. 16
dérégler, T, P. 10
dérider, T, P 6
dériver, de, I, T 6
dérober, T, P. 6
déroder, T. 6
déroger, I, à 8
dérouiller, I, T, P . . . 6
dérouler, T, P 6
dérouter, T 6
désabonner, T, P . . 6
désabuser, T. 6
désacclimater, T. . . 6
désaccorder, P 6
désaccoupler, T . . . 6
désaccoutumer, T, P 6
désacraliser, T 6
désactiver, T. 6
désadapter, ... 6
désaffecter, T 6
désaffectionner, P . 6
désaffilier, T 15
désagencer, T. 7
désagréger, T, P . . . 14
désaimanter, T 6
désajuster, T. 6
désaliéner, T. 10
désaltérer, I, T, P. . . 10
désamarrer, T 6
désamidonner, T . . 6
désamorcer, T 7
désannexer, T. 6
désapparier, T 15
désappointer, T . . . 6
désapprendre, T. . . 54
désapprouver, T. . . 6
désapprovisionner, T 6
désarçonner, T. . . . 6
désargenter, T 6
désarmer, T. 6
désarrimer, T 6
désarticuler, T, P. . . 6
désassembler, T. . . 6
désassimiler, T 6
désassortir, T 19
désavantager, T . . . 8
désaveugler, T 6
désavouer, T. 6
désaxer, T. 6
desceller, T, P. 6

descendre, I, ◊, T . 53
déséchouer, T 6
désembourber, T . . 6
désembourgeoiser, T 6
désembouteiller, T. 6
désembrayer, T. . . . 16
désembuer, T 6
désemmancher, T . 6
désemparer, I, T . . . 6
désempeser, T 9
désemplir, T, P 19
désemprisonner, T. 6
désencadrer, T 6
désencarter, T 6
désenchaîner, T . . . 6
désenchanter, T. . . 6
désenclaver, T 6
désencombrer, T . . 6
désencrasser, T . . . 6
désénerver, T 6
désenfiler, T 6
désenflammer, T . . 6
désenfler, I, T 6
désenfumer, T 6
désengager, T 8
désengorger, T. . . . 8
désenivrer, T. 6
désenlacer, T 7
désenlaidir, I, T. . . . 19
désennuyer, T 17
désenrayer, T 16
désenrhumer, T . . . 6
désenrouer, T. 6
désensabler, T 6
désensibiliser, T. . . 6
désensorceler, T. . . 11
désentoiler, T 6
désentortiller, T . . . 6
désentraver, T 6
désenvaser, T. 6
désenvelopper, T. . 6
désenvenimer, T. . . 6
désenverguer, T. . . 6
désépaissir, T. 19
déséquilibrer, T . . . 6
déséquiper, T. 6
déserter, I, T 6
désespérer, I, T, P. 10
désétablir, T 19
désétamer, T. 6
déshabiller, T, P . 6
déshabituer, T, P . . 6
désherber, T 6
déshériter, T 6
déshonorer, T, P. . . 6
déshumaniser, T, P. 6
déshumidifier, T. . . 15
déshydrater, T 6
déshydrogéner, T. . 10
désigner, T. 6
désillusionner, T . . 6
désincarner, P 6
désincorporer, T. . . 6
désincruster, T 6
désinculper, T 6
désinfecter, T. 6
désinsectiser, T . . . 6
désintégrer, T, P . . . 10
désintéresser, T, P . 6
désintoxiquer, T, P. 6
désinvestir, T 19
désinviter, T 6
désirer, T 6
désister, P. 6
désobéir, I, à 19
désobliger, T 8
désobstruer, T 6
désoccuper, T 6
désodoriser, T 6
désoler, T, P 6
désolidariser, T, P. . 6
désopiler, P 6
désorber, T 6
désorbiter, T. 6
désordonner, T. . . . 6
désorganiser, T . . . 6
désorienter, T. 6
désosser, T. 6
désoxyder, T. 6
désoxygéner, T . . . 10
desquamer, T. 6
dessabler, T 6
dessaisir, T, P 19
dessaler, I, T 6
dessangler, T 6
dessaouler, I, T. . . . 6
dessécher, T, P. . . . 10
desseller, T. 6
desserrer, T. 6
dessertir, T 19
desservir, T. 35
dessiller, T 6
dessiner, T, P. . . . 6
dessoler, T 6
dessouder, T. 6
dessouler, I, T. 6
dessoûler, I, T. 6
dessuinter, T. 6
destiner, T, P. 6
destituer, T 6
destructurer, T 6
désulfiter, T 6
désunir, T, P 19
désynchroniser, T . 6
détacher, T, P. . . . 6
détailler, T. 6
détaler, I 6
détaller, T 6
détapisser, T. 6
détartrer, T 6
détaxer, T 6
détecter, T 6
déteindre, I, T. 57
dételer, T. 11
détendre, T, P. 53
détenir, T 23
déterger, T 8
détériorer, T, P 6
déterminer, T, P . 6

Verbe	N°
déterrer, T	6
détester, T	6
détirer, T, P	6
détisser, T	6
détoner, I	6
détonneler, T	11
détonner, I	6
détordre, T	53
détortiller, T	6
détourer, T	6
détourner, T, P	6
détracter, T	6
détrancher, I	6
détransposer, T	6
détraquer, T, P	6
détremper, T	6
détresser, T	6
détricoter, T	6
détromper, T	6
détroncher, I	6
détrôner, T	6
détroquer, T	6
détrousser, T	6
détruire, T, P	82
dévaler, I, T	6
dévaliser, T	6
dévaloriser, T, P	6
dévaluer, I, T, P	6
devancer, T	7
dévaser, T	6
dévaster, T	6
développer, T, P	6
devenir, I, ♦	23
déventer, T	6
déverdir, I	19
dévergonder, P	6
déverguer, T	6
dévernir, T	19
déverrouiller, T	6
déverser, T, P	6
dévêtir, T, P	26
dévider, T, P	6
dévier, I, T	15
deviner, T, P	6
déviriliser, T	6
déviroler, T	6
dévisager, T	8
deviser, I, de	6
dévisser, I, T, P	6
dévitaliser, T	6
dévitrifier, T	15
dévoiler, T, P	6
devoir, T, P	42
dévorer, T, P	6
dévouer, T, P	6
dévoyer, T, P	17
diagnostiquer, T	6
dialectaliser, T	6
dialectiser, T	6
dialoguer, I	6
dialyser, T	6
diamanter, T	6
diaphragmer, T	6
diaprer, T	6
dicter, T	6
diffamer, T	6
différencier, T, P	15
différer, I, T	10
difformer, T	6
diffracter, T	6
diffuser, T, P	6
digérer, T, P	10
dilacérer, T	10
dilapider, T	6
dilater, T, P	6
diluer, T, P	6
diminuer, I, ◊, T, P	6
dindonner, T	6
dîner, I	6
dinguer, T	6
dire, T, P	78
diriger, T, P	8
discerner, I	6
discipliner, T	6
discontinuer, I	6
disconvenir, I, ◊, de	23
discorder, I	6
discourir, I, de	33
discréditer, T	6
discriminer, T	6
disculper, T, P	6
discutailler, I, T	6
discuter, I, T, P	6
disgracier, T	15
disjoindre, T, P	58
disjoncter, I	6
disloquer, T, P	6
disparaître, I, ◊	64
dispenser, T, P	6
disperser, T, P	6
disposer, T, P	6
disproportionner, T	6
disputailler, I	6
disputer, T, P	6
disqualifier, T, P	15
disséminer, T, P	6
disséquer, T	10
disserter, I	6
dissimuler, T, P	6
dissiper, T, P	6
dissocier, T	15
dissoner, I	6
dissoudre, T, P	72
dissuader, T	6
distancer, T	7
distancier, T	15
distendre, T, P	53
distiller, I, T	6
distinguer, T, P	6
distordre, T	53
distraire, I, T, P	61
distribuer, T	6
divaguer, I	6
diverger, I	8
diversifier, T	15
divertir, T, P	19
diviniser, T	6
diviser, T, P	6
divorcer, I, ◊	7

e

écorer, T 6
écorner, T 6
écornifler, T 6
écosser, T 6
écouler, T, P 6
écourter, T 6
écouter, I, T, P 6
écouvillonner, T 6
écrabouiller, T 6
écraser, I, T, P 6
écrémer, T 10
écrêter, T 6
écrier, P 15
écrire, I, T, P 80
écrivailler, I, T 6
écrivasser, I 6
écrouer, T 6
écrouir, T 19
écrouler, P 6
écroûter, T 6
écuisser, T 6
éculer, T 6
écumer, I, T 6
écurer, T 6
écussonner, T 6
édenter, T 6
édicter, T 6
édifier, T 15
éditer, T 6
éditionner, T 6
édulcorer, T 6
éduquer, T 6
éfaufiler, T 6
effacer, T, P 7
effaner, T 6
effarer, T 6
effaroucher, T, P 6
effectuer, T, P 6
efféminer, T 6
effeuiller, T 6
effiler, T, P 6
effilocher, T, P 6
efflanquer, T, P 6
effleurer, T 6
effleurir, I 19
effluver, I 6
effondrer, T, P 6
efforcer, P 7
effranger, T, P 8
effrayer, T, P, de 16
effriter, T, P 6
égailler, P 6
égaler, T 6
égaliser, I, T 6
égarer, T, P 6
égayer, T, P 16
égorger, T, P 8
égosiller, P 6
égoutter, I, T, P 6
égrainer, T, P 6
égrapper, T 6
égratigner, T, P 6
égrener, T, P 9
égriser, T 6
égruger, T 8
éjaculer, T 6
éjarrer, T 6
éjecter, T 6
éjointer, T 6
élaborer, T, P 6
élaguer, T 6
élancer, I, T, P 7
élargir, I, T, P 19
électrifier, T 15
électriser, T 6
électrocuter, T 6
électrolyser, T 6
électroniser, T 6
élever, T, P 9
élider, T 6
élimer, 6
éliminer, I, T 6
élinguer, T 6
élire, T 77
éloigner, T, P 6
élonger, T 8
élucider, T 6
élucubrer, T 6
éluder, T 6
émacier, P 15
émailler, T, de 6
émanciper, T, P 6
émaner, I 6
émarger, I, T, à 8
émasculer, T 6
emballer, T, P 6
emballotter, T 6
embarbouiller, T, P 6
embarder, T, P 6
embarquer, I, T, P 6
embarrasser, T, P, de 6
embarrer, I, T 6
embastiller, T 6
embastionner, T 6
embat(t)re, T 55
embaucher, T, P 6
embaumer, I, T 6
embecquer, T 6
émbéguiner, P 6
embellir, I, ◊, T, P 19
emberlificoter, T, P 6
embêter, T, P 6
embidonner, T 6
emblaver, T 6
embobeliner, T 6
embobiner, T 6
emboire, P 69
emboîter, T, P 6
embosser, T, P 6
embotteler, T 11
emboucher, T 6
embouer, I, T 6
embourber, T, P 6
embourgeoiser, T, P 6
embourrer, T, P 6
embouteiller, T 6
emboutir, T 19
embrancher, T, P 6

embraquer, T 6
embraser, T, P..... 6
embrasser, T, P .. 6
embrayer, T 16
embreler, T....... 12
embrever, T 9
embrigader, T, P ... 6
embringuer, T..... 6
embrocher, T 6
embroncher, T 6
embrouiller, T, P ... 6
embroussailler, T .. 6
embrumer, T...... 6
embrunir, T....... 19
embuer, T........ 6
embusquer, T, P ... 6
émécher, T 10
émerger, I........ 8
émerillonner, T.... 6
émeriser, T 6
émerveiller, T, P ... 6
émettre, I, T....... 56
émier, T.......... 15
émietter, T, P...... 6
émigrer, I 6
émincer, T........ 7
emmagasiner, T ... 6
emmailloter, T 6
emmancher, T, P .. 6
emmarger, T...... 8
emmêler, T 6
emménager, I, T ... 8
emmener, T 9
emmerder, T, P 6
emmétrer, T 10
emmitonner, T 6
emmitoufler, T 6
emmortaiser, T 6
emmouscailler, T .. 6
emmurer, T....... 6
émonder, T....... 6
émorfiler, T....... 6
émotionner, T..... 6
émotter, T........ 6
émoucher, T 6
émoucheter, T 12
émoudre, T....... 74
émousser, T, P 6
émoustiller, T..... 6
émouvoir, T, P ... 44
empailler, T....... 6
empaler, T, P...... 6
empalmer, T 6
empanacher, T 6
empanner, I, T 6
empapilloter, T.... 6
empaqueter, T 11
emparer, P, de ... 6
emparquer, T 6
empâter, T, P...... 6
empatter, T....... 6
empaumer, T 6
empêcher, T, P, de . 6
empeigner, T 6
empêner, I, T...... 6
empenner, T...... 6
empercher, T 6
emperler, T....... 6
empeser, T 9
empester, T....... 6
empêtrer, T, P..... 6
empiéger, T 8
empierrer, T 6
empiéter, I, sur 10
empiffrer, P....... 6
empiler, T, P 6
empirer, I, ◊, T..... 6
emplâtrer, T 6
emplir, I, T, P...... 19
employer, T, P, à . 17
emplumer, T...... 6
empocher, T...... 6
empoigner, T, P ... 6
empoisonner, T, P . 6
empoisser, T...... 6
empoissonner, T .. 6
emporter, T, P ... 6
empoter, T 6
empourprer, T, P... 6
empoussiérer, T, P . 10
empreindre, T, P, de . 57
empresser, P.... 6
emprésurer, T..... 6
emprisonner, T.... 6
emprunter, T.... 6
empuantir, T...... 19
émulsifier, T 15
émulsionner, T.... 6
enamourer, P 6
énamourer, P 6
encabaner, T 6
encadrer, T...... 6
encager, T........ 8
encaisser, T 6
encanailler, T, P ... 6
encapuchonner, T, P 6
encarter, T 6
encartonner, T 6
encartoucher, T ... 6
encaserner, T 6
encasteler, P...... 12
encastrer, T, P..... 6
encaustiquer, T ... 6
encaver, T........ 6
enceindre, T 57
encenser, I, T 6
encercler, T....... 6
enchaîner, I, T, P... 6
enchanter, T, P 6
enchaperonner, T . 6
encharner, T...... 6
enchâsser, T...... 6
enchatonner, T.... 6
enchausser, T..... 6
enchemiser, T..... 6
enchérir, I, sur, T ... 19
enchevaucher, T .. 6
enchevêtrer, T, P .. 6
enchifrener, T..... 9

encirer, T ... 6
enclaver, T ... 6
enclencher, T, P ... 6
encliqueter, T ... 11
encloîtrer, T ... 6
enclore, T ... 70
enclouer, T ... 6
encocher, T ... 6
encoder, T ... 6
encoffrer, T ... 6
encoller, T ... 6
encombrer, T, P, de ... 6
encorder, T, P ... 6
encorner, T ... 6
encourager, T ... 8
encourir, T ... 33
encrasser, T, P ... 6
encrêper, T ... 6
encrer, I, T ... 6
encroûter, T, P ... 6
encuver, T ... 6
endauber, T ... 6
endenter, T ... 6
endetter, T, P ... 6
endeuiller, T ... 6
endêver, I, ≃inf ... D
endiabler, I, T ... 6
endiguer, T ... 6
endimancher, T ... 6
endivisionner, T ... 6
endoctriner, T ... 6
endolorir, T ... 19
endommager, T ... 8
endormir, T, P ... 32
endosser, T ... 6
enduire, T ... 82
endurcir, T, P ... 19
endurer, T ... 6
énerver, T, P ... 6
enfaîter, T ... 6
enfanter, I, T ... 6
enfariner, T ... 6
enfermer, T, P ... 6
enferrer, T, P ... 6
enfieller, T ... 6
enfiévrer, T, P ... 10
enfiler, T, P ... 6
enflammer, T, P ... 6
enflécher, T ... 10
enfler, I, T, P ... 6
enfleurer, T ... 6
enfoncer, I, T, P ... 7
enforcir, I ... 19
enfouir, T, P ... 19
enfourcher, T ... 6
enfourner, T ... 6
enfreindre, T ... 57
enfuir, P ... 36
enfumer, T, P ... 6
enfutailler, T ... 6
engager, T, P ... 8
engainer, T ... 6
engamer, T ... 6
engargousser, T ... 6
engaver, T ... 6
engazonner, T ... 6
engendrer, T ... 6
engerber, T ... 6
englacer, T ... 7
englober, T ... 6
engloutir, T, P ... 19
engluer, T ... 6
engober, T ... 6
engommer, T ... 6
engoncer, T ... 7
engorger, T, P ... 8
engouer, P ... 6
engouffrer, T, P ... 6
engouler, T ... 6
engourdir, T, P ... 19
engraisser, I, T, P ... 6
engranger, T ... 8
engraver, T ... 6
engrener, T ... 9
engrosser, T ... 6
engrumeler, T, P ... 11
engueuler, T, P ... 6
enguirlander, T ... 6
enhardir, T, P ... 19
enharnacher, T ... 6
enherber, T ... 6
énieller, T ... 6
enivrer, T, P ... 6
enjamber, I, T ... 6
enjaveler, T ... 11
enjoindre, T ... 58
enjôler, T ... 6
enjoliver, T, P ... 6
enjoncer, T ... 7
enjouer, T ... 6
enjuguer, ... 6
enjuiver, T ... 6
enjuponner, T ... 6
enkyster, P ... 6
enlacer, T, P ... 7
enlaidir, I, ♦, T, P ... 19
enlever, T, P ... 9
enliasser, T ... 6
enlier, T ... 15
enligner, T ... 6
enliser, T, P ... 6
enluminer, T ... 6
enneiger, T ... 8
ennoblir, T ... 19
ennuager, T, P ... 8
ennuyer, T, P ... 17
énoncer, T, P ... 7
enorgueillir, T, P ... 19
énouer, T ... 6
enquérir, P ... 24
enquêter, I ... 6
enquiquiner, T, P ... 6
enraciner, T, P ... 6
enrager, I ... 8
enrailler, T ... 6
enrayer, T, P ... 16
enrégimenter, T ... 6
enregistrer, T ... 6
enrêner, T ... 6

Verbe	Modèle
enrhumer, T, P	6
enrichir, T, P	19
enrober, T	6
enrocher, T	6
enrôler, T, P	6
enrouer, T, P	6
enrouiller, I, P	6
enrouler, T, P	6
enrubanner, T	6
ensabler, T, P	6
ensaboter, T	6
ensacher, T	6
ensaisiner, T	6
ensanglanter, T	6
ensauver, P	6
enseigner, T	6
ensemencer, T	7
enserrer, T	6
ensevelir, T, P	19
ensiler, T	6
ensoleiller, T	6
ensorceler, T	11
ensoufrer, T	6
enstérer, T	10
ensuivre, P D	75
≃inf + p.p. + 3[e] pers. à tous les temps cela s'est ensuivi cela s'en est ensuivi cela s'en est suivi	
entabler, T, P	6
entacher, T	6
entailler, T, P	6
entamer, T	6
entaquer, T	6
entartrer, T	6
entasser, T, P	6
entendre, I, T, P	53
enténébrer, T	10
enter, T	6
entériner, T	6
enterrer, T, P	6
entêter, T, P	6
enthousiasmer, T, P	6
enticher, P, de	6
entoiler, T	6
entôler, T	6
entonner, T	6
entortiller, T, P	6
entourer, T, P	6
entraccorder, P	6
entraccuser, P	6
entradmirer, P	6
entraider, P	6
entr'aimer, P	6
entraîner, T, P	6
entr'apercevoir, P	38
entraver, T	6
entrebâiller, T	6
entrebattre, P	55
entrechoquer, P	6
entrecouper, T, P	6
entrecroiser, T, P	6
entre-déchirer, P	6
entre-détruire, P	82
entre-dévorer, P	6
entr'égorger, P	8
entre-frapper, P	6
entre-haïr, P	20
entre-heurter, P	6
entrelacer, T, P	7
entrelarder, T	6
entre-louer, P	6
entre-manger,	8
entremêler, T, P	6
entremettre, P	56
entre-nuire, P	82
entreposer, T	6
entreprendre, T	54
entrer, I, ♦, T	6
entre-regarder, P	6
entretailler, P	6
entretenir, T, P	23
entretoiser, T	6
entre-tuer, P	6
entrevoir, T, P	39
entrouvrir, T, P	27
énucléer, T	13
énumérer, T	10
envahir, T	19
envaser, T, P	6
envelopper, T, P	6
envenimer, T, P	6
enverger, T	8
enverguer, T	6
envider, T	6
envier, T	15
envieillir, T, P	19
environner, T, P	6
envisager, T	8
envoiler, P	6
envoler, P	6
envoûter, T	6
envoyer, T, P	18
épaissir, I, T, P	19
épaler, T	6
épancher, T, P	6
épandre, T, P	53
épanneler, T	11
épanner, T	6
épanouir, T, P	19
épargner, T, P	6
éparpiller, T, P	6
épater, T	6
épauler, I, T, P	6
épeler, T, P	11
épépiner, T	6
éperdre, P	53
éperonner, T	6
épeuler, T	6
épicer, T	7
épier, I, T	15
épierrer, T	6
épiler, T	6
épiloguer, I, T, sur	6
épinceler, T	12
épincer, T	7
épiner, T	6

Verbe	Modèle
épingler, T	6
épisser, T	6
éployer, T, P	17
éplucher, T	6
épointer, T	6
éponger, T, P	8
épontiller, T	6
épouiller, T	6
époumoner, T, P	6
épouser, T	6
épousseter, T	11
époustoufler, T	6
époutier, T	15
époutir, T	19
épouvanter, T, P	6
éprendre, P	54
éprouver, T, P	6
épucer, T	7
épuiser, T, P	6
épurer, T	6
équarrir, T	19
équerrer, T	6
équilibrer, T, P	6
équiper, T, P	6
équivaloir, à	47
équivoquer, I	6
érafler, T	6
érailler, T, P	6
érayer, T	16
éreinter, T, P	6
ergoter, I	6
ériger, T, P, en	8
éroder, T, P	6
érotiser, T	6
errer, I	6
éructer, I, T	6
esbaudir, P	19
esbigner, P	6
esbroufer, T	6
escalader, T	6
escamoter, T	6
escarmoucher, I	6
escarrifier, T	15
escher, T	6
esclaffer, P	6
escompter, T	6
escorter, T	6
escrimer, P	6
escroquer, T	6
espacer, T, P	7
espérer, I, T	10
espionner, T	6
espoliner, T	6
espouliner, T	6
esquinter, T, P	6
esquisser, T, P	6
esquiver, T, P	6
essaimer, I	6
essanger, T	8
essarter, T	6
essayer, T, P	16
essorer, T, P	6
essoriller, T	6
essoucher, T	6
essouffler, T, P	6
essuyer, T, P	17
estamper, T	6
estampiller, T	6
ester, I (≃ infinitif)	D
estérifier, T	15
estimer, T, P	6
estiver, T	6
estomaquer, T	6
estomper, T, P	6
estoquer, T	6
estourbir, T	19
estrapader, T	6
estrapasser, T	6
estropier, T	15
établer, T	6
établir, T, P	19
étager, T, P	8
étalager, T	8
étaler, T, P	6
étalonner, T	6
étamer, T	6
étamper, T	6
étancher, T	6
étançonner, T	6
étarquer, T	6
étatiser, I	6
étayer, T, P	16
éteindre, T, P	57
étendre, T, P	53
éterniser, T, P	6
éternuer, I	6
étêter, T	6
éthérifier, T	15
éthériser, T	6
étinceler, I	11
étioler, T, P	6
étiqueter, T	11
étirer, T, P	6
étoffer, T, P	6
étoiler, T, P	6
étonner, T, P	6
étouffer, I, T, P	6
étouper, T	6
étoupiller, T	6
étourdir, T, P	19
étrangler, T, P	6
être	2
étrécir, T	19
étreindre, T, P	57
étrenner, T	6
étrésillonner, T	6
étriller, T	6
étriper, T, P	6
étriquer, T	6
étronçonner, T	6
étudier, I, T, P	15
étuver, T	6
euphoriser, T	6
européaniser, T	6
évacuer, T	6
évader, P	6
évaluer, T	6
évangéliser, T	6

fatiguer, I, T, P . . . 6
faucarder, T 6
faucher, I, T 6
fauconner, I 6
faufiler, I, T, P 6
fausser, T 6
fauter, I 6
favoriser, T 6
fayot(t)er, I 6
féconder, T 6
féculer, T 6
fédéraliser, T, P 6
fédérer, T, P 10
feignanter, I 6
feindre, I, T 57
feinter, I, T 6
fêler, T, P 6
féliciter, T, P 6
féminiser, T, P 6
fendiller, T, P 6
fendre, T, P 53
fenestrer, T 6
fenêtrer, T 6
férir, T . . . . D
sans coup férir
féru de...
ferler, T 6
fermenter, I 6
fermer, I, T, P 6
ferrailler, I 6
ferrer, T 6
fertiliser, T 6
fesser, T 6
festonner, T 6
festoyer, I, T, P 17
fêter, T 6
fétichiser, T 6
feuiller, I, T 6
feuilleter, T 11
feuilletiser, T 6
feuler, I 6
feutrer, I, T, P 6
fiancer, T, P 7
ficeler, T 11
ficher, T 6
les adresses fichées
ficher, P 6
les occasions fichues
fieffer, T 6
fienter, I 6
fier, P 6
figer, I, T, P 8
fignoler, T 6
figurer, I, T, P 6
filer, I, T, P 6
fileter, T 12
filigraner, T 6
filmer, T 6
filocher, I, T 6
filouter, I, T 6
filtrer, I, T 6
financer, I, T 7
finasser, I, T 6
finir, I, T 19
finlandiser, T, P 6
fiscaliser, T 6
fissionner, T 6
fissurer, T, P 6
fixer, T, P 6
flageller, T, P 6
flageoler, I 6
flagorner, T 6
flairer, T 6
flamber, I, T 6
flamboyer, I 17
flancher, I, T 6
flâner, I 6
flanquer, T, P 6
flaquer, I 6
flasher, I 6
flatter, T, P 6
flauper, T 6
flécher, T 10
fléchir, I, T, P 19
flemmarder, I 6
flétrir, T, P 19
fleurer, I, T 6
fleurir, I, T, P 19
pour «orner de fleurs»
toujours : fleurissant, fleurissait
pour «prospérer»
de préférence : florissant, florissait
flibuster, I, T 6
flinguer, T 6
flipper, I 6
flirter, I 6
floconner, I 6
floculer, I 6
flotter, I, T 6
flotter, il 6
flouer, T 6
flouser, I 6
fluctuer, I 6
fluer, I 6
fluidifier, T 15
fluidiser, T 6
fluoriser, T 6
flûter, I 6
fluxer, T 6
focaliser, T 6
foirer, I 6
foisonner, I 6
folâtrer, I 6
folichonner, I 6
folioter, T 6
fomenter, T 6
foncer, I, T 7
fonctionnariser, T . 6
fonctionner, I 6
fonder, I, T, P 6
fondre, I, T, P 53
forcer, I, T, P 7
forcir, I 19
forclore, ... D
≃ infinitif
et p.p. forclos (e)
forer, T 6

forfaire, à .... D
≃ infinitif
et temps composés
forger, I, T, P..... 8
forjeter, I, T, P..... 11
forlancer, T....... 7
forligner, I........ 6
formaliser, T, P.... 6
former, T, P...... 6
formoler, T....... 6
formuler, T....... 6
forniquer, I....... 6
fortifier, T, P.... 15
fossiliser, T, P..... 6
fossoyer, T....... 17
fouailler, T....... 6
foudroyer, T...... 17
fouetter, I, T..... 6
fouger, I......... 8
fouiller, I, T, P.... 6
fouiner, I......... 6
fouir, T.......... 19
fouler, T, P...... 6
fourailler, I, T..... 6
fourber, I, T....... 6
fourbir, T......... 19
fourcher, I, T...... 6
fourgonner, I, T... 6
fourguer, T....... 6
fourmiller, I....... 6
fournir, T, P 19
fourrager, I, T..... 8
fourrer, T, P....... 6
fourvoyer, T, P.... 17
foutre, T, P, de... D 53
fracasser, T, P..... 6
fractionner, T, P... 6
fracturer, T....... 6
fragiliser, T....... 6
fragmenter, T..... 6
fraîchir, I......... 19
fraiser, T......... 6
framboiser, T..... 6
franchir, T...... 19
franciser, T....... 6
franger, T........ 8
frapper, I, T, P.... 6
fraterniser, I...... 6
frauder, I, T....... 6
frayer, I, T, P...... 16
fredonner, I, T..... 6
freiner, I, T....... 6
frelater, T........ 6
frémir, I........ 19
fréquenter, I, T.. 6
fréter, T.......... 10
frétiller, I......... 6
fretter, T......... 6
fricasser, T....... 6
fricoter, I, T....... 6
frictionner, T, P.... 6
frigorifier, T....... 15
frigorifuger, T..... 8
frimer, I, T........ 6
fringuer, T, P...... 6
friper, T, P........ 6
friponner, I, T..... 6
frire, I, T.......... 81
friser, I, T......... 6
frisotter, T........ 6
frissonner, I.... 6
fritter, I, T........ 6
froidir, I.......... 19
froisser, T, P...... 6
frôler, T, P........ 6
froncer, T........ 7
fronder, I, T....... 6
frotter, I, T, P.... 6
frouer, I.......... 6
froufrouter, I...... 6
fructifier, I........ 15
frusquer, T, P..... 6
frustrer, T........ 6
fuguer, I......... 6
fuir, I, T......... 36
fulgurer, I, T...... 6
fulminer, I, T...... 6
fumer, I, T....... 6
fumiger, T........ 8
fureter, I......... 12
fuseler, T......... 11
fuser, I........... 6
fusiller, T......... 6
fusionner, I, T..... 6
fustiger, T........ 8

g

gabionner, T...... 6
gâcher, I, T....... 6
gadgétiser, T..... 6
gaffer, I, T........ 6
gager, T.......... 8
gagner, I, T, P.... 6
gainer, T......... 6
galber, T......... 6
galéjer, I......... 10
galipoter, T....... 6
galonner, T....... 6
galoper, I, T...... 6
galvaniser, T...... 6
galvauder, I, T, P... 6
gambader, I...... 6
gamberger, I, T.... 8
gambiller, I....... 6
gaminer, I........ 6
gangrener, T, P.... 9
ganser, T......... 6
ganter, T......... 6
garancer, T....... 7
garantir, T...... 19
garder, T, P...... 6
garer, T, P........ 6
gargariser, P...... 6
gargoter, I........ 6

Verbe	Modèle
gargouiller, I	6
garnir, T, P	19
garrotter, T	6
gasconner, I	6
gaspiller, I	6
gâter, T, P	6
gauchir, I, T, P	19
gaufrer, T	6
gauler, T	6
gausser, I, T, P	6
gaver, T, P	6
gazéifier, T	15
gazer, I, T	6
gazonner, I, T	6
gazouiller, I	6
geindre, I	57
gélatiner, T	6
gélatiniser, T	6
geler, I, il, T, P	12
gélifier, T, P	15
géminer, T	6
gémir, I, T	19
gemmer, T	6
gendarmer, P	6
gêner, T, P	6
généraliser, T, P	6
générer, T	10
géométriser, T	6
gerber, I, T	6
gercer, I, T, P	7
gérer, T	10
germaniser, I, T, P	6
germer, I	6
gésir, I, D	37
gesticuler, I	6
giboyer, T	17
gicler, I	6
gifler, T	6
gigoter, I	6
gironner, T	6
girouetter, I	6
gîter, I	6
givrer, T	6
glacer, I, il, T, P	7
glairer, T	6
glaiser, T	6
glander, I	6
glandouiller, I	6
glaner, T	6
glapir, I, T	19
glatir, I	19
glaviot(t)er, I	6
glisser, I, T, P	6
globaliser, T	6
glorifier, T, P	15
gloser, I, T	6
glouglouter, I	6
glousser, I	6
glycériner, T	6
gober, T	6
goberger, P	8
gobeter, T	11
godailler, I	6
goder, I	6
godiller, I	6
godronner, T	6
goguenarder, I	6
goinfrer, I, P	6
gominer, P	6
gommer, T	6
gonder, T	6
gondoler, I, P	6
gonfler, I, T, P	6
gorger, T, P	8
gouacher, T	6
gouailler, I	6
goudronner, T	6
goujonner, T	6
goupiller, T, P	6
goupillonner, T	6
gourer, P	6
gourmander, T	6
goûter, I, à, de, T	6
goutter, I	6
gouverner, I, T, P	6
gracier, T	15
graduer, T	6
grailler, I, T	6
graillonner, I	6
grainer, T	6
graisser, T	6
grammaticaliser, T	6
grandir, I, ◊, T, P	19
graniter, T	6
granuler, T	6
graphiter, T	6
grappiller, I, T	6
grasseyer, I l'y est conservé partout	6
gratifier, T	15
gratiner, I, T	6
gratter, I, T, P	6
graver, I, P	6
gravir, T	19
graviter, I	6
grecquer, T	6
gréer, T	13
greffer, T, P	6
grêler, il	6
grelotter, I	6
grenailler, T	6
greneler, T	11
grener, I, T	9
grenouiller, I	6
gréser, T	10
grésiller, il, I, T	6
grever, T	9
gribouiller, I, T	6
griffer, T	6
griffonner, I, T	6
grigner, I	6
grignoter, I, T	6
grillager, T	8
griller, I, T, P	6
grimacer, I, T	7
grimer, T, P	6
grimper, I, T	6
grincer, I	7
grincher, T	6

gringuer, I. 6
gripper, I, T, P. 6
grisailler, I, T. 6
griser, T, P. 6
grisol(l)er, I 6
grisonner, I. 6
griveler, I, T. 11
grognasser, I 6
grogner, I. 6
grommeler, I, T. . . . 11
gronder, I, T. 6
grossir, I, ◊, T. . . . 19
grouiller, I, P. 6
grouper, I, T, P . . . 6
gruger, T. 8
grumeler, P. 11
guéer, T. 13
guérir, I, T, P. 19
guerroyer, I. 17
guêtrer, T 6
guetter, T. 6
gueuler, I, T 6
gueuletonner, I . . . 6
gueuser, I, T 6
guider, T, P 6
guigner, T. 6
guillemeter, T. 11
guillocher, T. 6
guillotiner, T. 6
guincher, I 6
guinder, T. 6
guiper, T 6

h

*h = h aspiré

habiliter, T 6
habiller, T, P. 6
habiter, I, T. 6
habituer, T, P 6
*habler, I. 6
*hacher, T. 6
*hachurer, T 6
***haïr,** T. 20
*haler, T 6
*hâler, T 6
*haleter, I 12
halluciner, T 6
hameçonner, T. . . . 6
*hancher, I, T, P . . . 6
*handicaper, T. . . . 6
*hanter, T 6
*happer, T. 6
*haranguer, T. 6
*harasser, T 6
*harceler, T. . . . 11, 12
*harder, T 6
harmoniser, T, P . . . 6
*harnacher, T. 6
*harpailler, I 6
*harper, T 6
*harponner, T. 6
*hasarder, T, P 6
***hâter,** T, P 6
*haubaner, T 6
***hausser,** T, P. . . . 6
*haver, I, T 6
*havir, I, T. 19
héberger, T. 8
hébéter, T 10
hébraïser, I 6
*héler, T 10
helléniser, T, P 6
hennir, I 19
herbager, T. 8
herber, T 6
herboriser, I 6
*hérisser, T, P 6
*hérissonner, I, T, P . 6
hériter, I, T, de. . . . 6
*herser, T 6
hésiter, I. 6
***heurter,** de, contre, T, P, à 6
hiberner, I, T. 6
hiérarchiser, T 6
*hisser, T, P. 6
historier, T 15
hiverner, I, T 6
*hocher, T. 6
homogénéifier, T . . 15
homogénéiser, T . . 6
homologuer, T 6
*hongrer, T. 6
*hongroyer, T. 17
*honnir, T. 19
honorer, T, P 6
*hoqueter, I 11
horrifier, T. 15
horripiler, T. 6
hospitaliser, T. 6
*houblonner, T. . . . 6
*houer, T. 6
*houpper, T 6
*hourder, T. 6
*hourdir, T 19
*houspiller, T 6
housser, T. 6
houssiner, T 6
*hucher, T. 6
*huer, I, T 6
huiler, T. 6
*hululer, I 6
humaniser, T, P. . . . 6
humecter, T, P 6
*humer, T 6
humidifier, T. 15
humilier, T, P 15
***hurler,** I, T 6
hybrider, T, P 6
hydrater, T, P 6
hydrofuger, T 8
hydrogéner, T. 10
hydrolyser, T 6
hypertrophier, P. . . 15

hypnotiser, T, P ... 6
hypostasier, T ... 15
hypothéquer, T ... 10

i

idéaliser, T, P ... 6
identifier, T, P ... 15
idéologiser, T ... 6
idiotiser, T ... 6
idolâtrer, T ... 6
ignifuger, T ... 8
ignorer, T, P ... 6
illuminer, T, P ... 6
illusionner, T, P ... 6
illustrer, T, P ... 6
imager, T ... 8
imaginer, T, P ... 6
imbiber, T, P ... 6
imbriquer, T, P ... 6
imiter, T ... 6
immatérialiser, T ... 6
immatriculer, T ... 6
immerger, T, P ... 8
immigrer, I ... 6
immiscer, P ... 7
immobiliser, T, P ... 6
immoler, T, P ... 6
immortaliser, T, P ... 6
immuniser, T ... 6
impacter, T ... 6
impartir, T ... 19
impatienter, T, P ... 6
imperméabiliser, T ... 6
impétrer, T ... 10
implanter, T, P ... 6
implémenter, T ... 6
impliquer, T ... 6
implorer, T ... 6
imploser, I ... 6
importer, I, T ... 6
importuner, T ... 6
imposer, T, P ... 6
imprégner, T, P ... 10
impressionner, T ... 6
imprimer, T, P ... 6
improuver, T ... 6
improviser, I, T, P ... 6
impulser, T ... 6
imputer, T, à, de, sur ... 6
inaugurer, T ... 6
incarcérer, T ... 10
incarner, T, P ... 6
incendier, T ... 15
incinérer, T ... 10
inciser, T ... 6
inciter, T, à ... 6
incliner, I, T, P ... 6
inclure, T ... 71
incomber, I, à ... 6
incommoder, T ... 6
incorporer, T, P ... 6
incrémenter, T ... 6
incriminer, T ... 6
incruster, T, P ... 6
incuber, T ... 6
inculper, T ... 6
inculquer, T ... 6
incurver, T, P ... 6
indemniser, T, P ... 6
indexer, T ... 6
indicer, T ... 7
indifférer, T ... 10
indigner, T, P ... 6
indiquer, T ... 6
indisposer, T ... 6
individualiser, T, P ... 6
induire, T ... 82
indurer, T ... 6
industrialiser, T, P ... 6
infantiliser, T ... 6
infatuer, T, P ... 6
infecter, T, P ... 6
inféoder, T, P ... 6
inférer, T ... 10
infester, T ... 6
infiltrer, T, P ... 6
infirmer, T ... 6
infléchir, T, P ... 19
infliger, T, à ... 8
influencer, T ... 7
influer, I, sur ... 6
informatiser, T ... 6
informer, T, P ... 6
infuser, I, T ... 6
ingénier, P ... 15
ingérer, T, P, dans ... 10
ingurgiter, T ... 6
inhaler, T ... 6
inhiber, T ... 6
inhumer, T ... 6
initialiser, T ... 6
initier, T, P, à ... 15
injecter, T, P ... 6
injurier, T ... 15
innerver, T ... 6
innocenter, T ... 6
innover, I, T ... 6
inoculer, T, P ... 6
inonder, T ... 6
inquiéter, T, P, de ... 10
inscrire, T, P ... 80
insculper, T ... 6
inséminer, T ... 6
insensibiliser, T ... 6
insérer, T, P ... 10
insinuer, T, P ... 6
insister, I ... 6
insoler, T ... 6
insolubiliser, T ... 6
insonoriser, T ... 6
inspecter, T ... 6
inspirer, I, T, P ... 6
installer, T, P ... 6
instaurer, T ... 6

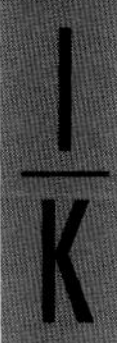

instiller, T 6
instituer, T, P 6
institutionnaliser, T, P 6
instruire, T, P. . . . 82
instrumenter, I, T . . 6
insuffler, T 6
insulter, I, à, T. 6
insurger, P, contre . . 8
intailler, I 6
intégrer, I, T, P 10
intellectualiser, T . . 6
intensifier, T, P 15
intenter, T. 6
intercaler, T, P. 6
intercéder, I 10
intercepter, T 6
interclasser, T. 6
interdire, T, P. . . . 78
intéresser, T, P . . 6
interférer, I 10
intérioriser, T 6
interjeter, T. 11
interligner, T. 6
interloquer, T 6
internationaliser, T, P 6
interner, T. 6
interpeller, T. 6
interpénétrer, P . . . 10
interpoler, T 6
interposer, T, P. . . . 6
interpréter, T, P. . . . 10
interroger, T, P . . 8
interrompre, T, P 53
intervenir, I, ♦ . . . 23
intervertir, T 19
interviewer, T. 6
intimer, T 6
intimider, T. 6
intituler, T, P 6
intoxiquer, T, P. . . . 6
intriguer, I, T. 6
introduire, T, P . . 82
introniser, T 6

intuber, T 6
invaginer, T, P 6
invalider, T 6
invectiver, I, contre, T 6
inventer, T, P 6
inventorier, T 15
inverser, T, P. 6
invertir, T 19
investir, I, T, P. 19
invétérer, P. 10
inviter, T, P. 6
invoquer, T. 6
ioder, T 6
iodler, I, T 6
ioniser, T. 6
iouler, I, T 6
iriser, T, P 6
ironiser, I, sur 6
irradier, I, T, P 15
irriguer, T 6
irriter, I, P. 6
islamiser, T, P 6
isoler, T, P. 6
issir, I . . . . D
≃ p.p. : issu (e)
itérer, I 10

j

jabler, T. 6
jaboter, I, T 6
jacasser, I 6
jacter, I, T 6
jaillir, I. 19
jalonner, I, T 6
jalouser, T. 6
japonner, T. 6
japper, I 6
jardiner, I, T 6
jargonner, I. 6
jaser, I. 6
jasper, T 6
jaspiner, I, T 6
jauger, I, T. 8
jaunir, I, T 19
javeler, I, T 11
javelliser, T. 6
jeter, T, P. 11
jeûner, I 6
jobarder, T 6
jodler, I, T 6
joindre, I, T, P 58
jointoyer, T. 17
joncer, T 7
joncher, T 6
jongler, T 6
jouailler, I 6
jouer, I, T, P. 6
jouir, I, de 19
jouter, I. 6
jouxter, T 6
jubiler, I 6
jucher, I, T, P. 6
juger, I, T, P. 8
juguler, T 6
jumeler, T 6
juponner, I, T 6
jurer, I, T, P 6
justifier, de, T, P. . . . 15
juter, I, T 6
juxtaposer, T 6

k

kidnapper, T. 6
kilométrer, T. 10
klaxonner, I, T. 6

l

m

macadamiser, T . . . 6
macérer, I, T 10
mâcher, T 6
machicoter, I 6
machiner, T 6
mâchonner, T. 6
mâchouiller, T 6
mâchurer, T 6
macler, I, T 6
maçonner, T. 6
macquer, T 6
maculer, T. 6
madéfier, T 15
madériser, T, P 6
madrigaliser, I 6
magasiner, T. 6
magner, P. 6
magnétiser, T 6
magnétoscoper, T . 6
magnifier, T 15
magouiller, I, T. . . . 6
maigrir, I, ◊, T. . . . 19
mailler, I, T, P 6
mainmettre, T. 56
maintenir, T, P. . . 23
maîtriser, T, P 6
majorer, T 6
malaxer, T. 6
malfaire, I . . . . D
≃ infinitif
malléabiliser, T. . . . 6
malmener, T 9
malter, T 6
maltraiter, T 6
mamelonner, T. . . . 6
manager, T 8
manchonner, T. . . . 6
mandater, T 6
mander, T. 6
manéger, T. 14
mangeotter, T. 6
manger, T. 8
manier, T, P. 15
maniérer, T. 10
manifester, I, T, P 6
manigancer, T 7
manipuler, T. 6
mannequiner, T . . . 6
manœuvrer, I, T . . . 6
manoquer, T. 6
manquer, I, à, de, T, P 6
mansarder, T 6
manucurer, T 6
manufacturer, T . . . 6
manutentionner, T. 6
maquer, T 6
maquignonner, T. . 6
maquiller, T, P 6
marauder, I. 6
marbrer, T. 6
marchander, I, T. . . 6
marcher, I 6
marcotter, T 6
marger, T 8
marginaliser, T 6
marginer, T. 6
margot(t)er, I. 6
marier, T, P 15
mariner, I, T 6
marivauder, I 6
marmiter, T. 6
marmonner, T. 6
marmoriser, T. 6
marmotter, I, T 6
marner, I, T 6
maronner, I. 6
maroquiner, T. 6
maroufler, T 6
marquer, I, T, P. . . 6
marqueter, T. 11
marrer, P. 6
marronner, I 6
marteler, T 12
martyriser, T 6
marxiser, T 6
masculiniser, T. . . . 6
masquer, I, T. 6
massacrer, T 6
masser, I, T, P 6
massicoter, T 6
mastiquer, T 6
masturber, T, P 6
matcher, I, T 6
matelasser, T, P . . . 6
mater, T. 6
mâter, T. 6
matérialiser, T, P. . . 6
materner, T 6
materniser, T 6
mathématiser, T . . . 6
mâtiner, T 6
matir, T 19
matraquer, T. 6
matricer, T 7
matriculer, T 6
maturer, T. 6
maudire, T 19
mais p.p. : maudit, e
maugréer, I, T 13
maximaliser, T 6
maximiser, T. 6
mazouter, I, T 6
mécaniser, T. 6
mécher, T 10
mécompter, P. 6
méconnaître, T. . . . 64
mécontenter, T. . . . 6
mécroire, T 68
médailler, T. 6
médiatiser, T. 6
médicamenter, T . . 6
médire, I, de 78
mais : (vous) médisez

mourir, I, ♦, P 34
mouronner, I, P 6
mousser, I 6
moutonner, I, T, P 6
mouvementer, T 6
mouver, I, P 6
mouvoir, I, de, T, P 44
moyenner, T 6
mucher, T 6
muer, I, T, P, en 6
mugir, I, T 19
mugueter, T 11
muloter, I 6
multiplexer, T 6
multiplier, T, P 15
municipaliser, T 6
munir, T, P, de 19
munitionner, T 6
murailler, T 6
murer, T, P 6
mûrir, I, T 19
murmurer, I, T 6
musarder, I 6
muscler, T 6
museler, T 11
muser, I 6
musiquer, I, T 6
musquer, T 6
musser, T 6
muter, T 6
mutiler, T 6
mutiner, P 6
mystifier, T 15

n

nacrer, T 6
nager, I, T 8
naître, I, ♦ 65
nantir, T, P 19
napper, T 6
narguer, T 6
narrer, T 6
nasaliser, T 6
nasiller, I, T 6
nationaliser, T 6
natter, T 6
naturaliser, T 6
naufrager, I 8
naviguer, I 6
navrer, T 6
néantiser, T, P 6
nécessiter, T 6
nécroser, T, P 6
négliger, T, P 8
négocier, I, T, P 15
neigeoter, il 6
neiger, il 8
nervurer, T 6
nettoyer, T 17
neutraliser, T, P 6
niaiser, I 6
nicher, I, T, P 6
nickeler, T 11
nicotiniser, T 6
nidifier, I 15
nieller, T 6
nier, I, T 15
nimber, T 6
nipper, T, P 6
nitrater, T 6
nitrer, T 6
nitrifier, T, P 15
nitrurer, T 6
niveler, T 11
noircir, I, T, P 19
noliser, T 6
nomadiser, I 6
nombrer, T 6
nominaliser, T 6
nommer, T, P 6
noper, T 6
nordir, I 19
normaliser, T, P 6
noter, T 6
notifier, T 15
nouer, I, T, P 6
nourrir, T, P 19
nover, T 6
noyauter, T 6
noyer, T, P 17
nuancer, T 7
nucléer, T 13
nuer, T 6
nuire, I, à, P 82
numériser, T 6
numéroter, T 6

o

obéir, I, à 19
obérer, T, P 10
objecter, T 6
objectiver, T 6
objurguer, I 6
obliger, T, P 8
obliquer, I 6
oblitérer, T 10
obnubiler, T 6
obscurcir, T, P 19
obséder, T 10
observer, T, P 6
obstiner, P 6
obstruer, T 6
obtempérer, I, à 10
obtenir, T, P 23
obturer, T 6
obvenir, I, ♦ 23
obvier, à 15
occasionner, T 6
occidentaliser, T, P 6

occire, ... D
≃ infinitif
temps composés
p.p. occis, e
occlure, T 71
occulter, T 6
occuper, T, P 6
ocrer, T 6
octroyer, T, P 17
octupler, T 6
œuvrer, I 6
offenser, T, P 6
officialiser, T 6
officier, I 15
offrir, T, P 27
offusquer, T, P 6
oindre, T 58
oiseler, I, T 11
ombrager, T 8
ombrer, T 6
omettre, T 56
ondoyer, I, T 17
onduler, I, T 6
opacifier, T 15
opaliser, T 6
opérer, I, T, P 10
opiacer, T 7
opiner, I 6
opiniâtrer, P 6
opposer, T, P 6
oppresser, T 6
opprimer, T 6
opter, I 6
optimaliser, T 6
optimiser, T 6
oranger, T 8
orbiter, I 6
orchestrer, T 6
ordonnancer, T ... 7
ordonner, T, P ... 6
organiser, T, P ... 6
orienter, T, P 6
oringuer, T 6
ornementer, T 6
orner, T 6
orthographier, T ... 15
osciller, I 6
oser, T 6
ossifier, T, P 15
ostraciser, T 6
ôter, T, P 6
ouater, T 6
ouatiner, T 6
oublier, T, P 15
ouiller, T 6
ouïr, T 37
ourdir, T 19
ourler, T 6
outiller, T 6
outrager, T 8
outrepasser, T 6
outrer, T 6
ouvrager, T 8
ouvrer, I, T 6
ouvrir, I, T, P 27
ovaliser, T 6
ovationner, T 6
oxyder, T, P 6
oxygéner, T, P 10
ozoniser, T 6

p

pacager, I, T 8
pacifier, T 15
pacquer, T 6
pactiser, I 6
paganiser, I, T 6
pagayer, I 16
pager, I, P 8
pageoter, P 6
paginer, T 6
pagnoter, ... 6
paillarder, I, P 6
paillassonner, T ... 6
pailler, T 6
pailleter, T 11
paillonner, T 6
paisseler, T 11
paître, I, T 66
pajoter, P 6
palabrer, I 6
palancrer, T 6
ou palangrer, T ... 6
palanguer, I 6
ou palanquer, I ... 6
paletter, T 6
palettiser, T 6
pâlir, I, T 19
palissader, T 6
palisser, T 6
palissonner, T 6
pallier, T 15
palmer, T 6
paloter, T 6
palper, T 6
palpiter, I 6
pâmer, I, P 6
panacher, I, T, P ... 6
paner, T 6
panifier, T 15
paniquer, I, P 6
panneauter, T 6
panner, T 6
panser, T 6
panteler, I 11
pantoufler, I 6
papillonner, I 6
papilloter, T 6
papoter, I 6
papouiller, T 6
parachever, T 9
parachuter, T 6
parader, I 6

Verbe	Modèle
parafer, T	6
paraffiner, T	6
paraisonner, T	6
paraître, I, ◊	64
paralléliser, T	6
paralyser, T	6
parangonner, T	6
parapher, T	6
paraphraser, T	6
parasiter, T	6
parcellariser, T	6
parceller, T	6
parcelliser, T	6
parcheminer, T	6
parcourir, T	33
pardonner, T, à, P	6
parementer, T	6
parer, T, P	6
paresser, I	6
parfaire, T … D ≃ indicatif présent infinitif et p.p.	62
parfiler, T	6
parfondre, T	53
parfumer, T, P	6
parier, I, T	15
parjurer, P	6
parkériser, T	6
parlementer, I	6
parler, I, T, de, P	6
parloter, I	6
parodier, T	15
parquer, I, T	6
parqueter, T	11
parrainer, T	6
parsemer, T	9
partager, T, P	8
participer, à, de	6
particulariser, T, P	6
partir, I, ♦, T T : avoir maille à partir ♦ … D des avis mi-partis	25
parvenir, I, ♦	23
passementer, T	6
passepoiler, T	6
passer, I, ◊, T, P	6
passionner, T, P	6
pasteller, I, T	6
pasteuriser, T	6
pasticher, T	6
pastiller, T	6
patafioler, T	6
patauger, I	8
pateliner, I, T	6
patenter, T	6
pâter, I	6
patienter, I	6
patiner, I, T	6
pâtir, I	19
pâtisser, I, T	6
patoiser, I	6
patouiller, I, T	6
patronner, T	6
patrouiller, I	6
patter, T	6
pâturer, I, T	6
paumer, T, P	6
paupériser, T	6
pauser, I	6
pavaner, P	6
paver, T	6
pavoiser, I, T	6
payer, I, T	16
peaufiner, T	6
peausser, I	6
pécher, I	10
pêcher, I, T	6
pédaler, I	6
peigner, T, P	6
peindre, T, P	57
peiner, I, T, P	6
peinturer, T	6
peinturlurer, T	6
peler, I, T, P	12
pelleter, T	11
peloter, I, T	6
pelotonner, T, P	6
pelucher, I	6
pénaliser, T	6
pencher, I, T, P	6
pendiller, I	6
pendouiller, I	6
pendre, I, T, P	53
pénétrer, I, T, P	10
penser, I, à, T	6
pensionner, T	6
pépier, I	15
percer, I, T	7
percevoir, T	38
percher, I, T, P	6
percuter, I, T	6
perdre, I, T, P	53
pérégriner, I	6
pérenniser, T	6
perfectionner, T, P	6
perforer, T	6
péricliter, I	6
périmer, I, T	6
périphraser, I	6
périr, I	19
perler, I, T	6
permanenter, T	6
perméabiliser, T	6
permettre, T, P	56
permuter, I, T	6
pérorer, I	6
perpétrer, T	10
perpétuer, T, P	6
perquisitionner, I, T	6
persécuter, T	6
persévérer, I, dans	10
persifler, T	6
persiller, T	6
persister, I, dans	6
personnaliser, T	6
personnifier, T	15
persuader, T, de, P	6
perturber, T	6

ponctuer, T	6
pondérer, T	10
pondre, I, T	53
ponter, I, T	6
pontifier, I	15
pontiller, T	6
populariser, T	6
poquer, I	6
porphyriser, T	6
porter, I, T, P	6
portraiturer, T	6
poser, I, T, P	6
positionner, T	6
posséder, T, P	10
postdater, T	6
poster, T	6
posticher, I	6
postillonner, I	6
postposer, T	6
postsynchroniser, T	6
postuler, T	6
potasser, I, T	6
potiner, I	6
poudrer, T	6
poudroyer, I	17
pouffer, I	6
pouliner, I	6
pouponner, I	6
pourchasser, T	6
pourfendre, T	53
pourlécher, T, P	10
pourprer, P	6
pourrir, I, ◊, T, P	19
poursuivre, T, P	75
pourvoir, à, T, de, P	40
pousser, I, T, P	6
pouvoir, I, P, il	43
praliner, T	6
pratiquer, I, T, P	6
préacheter, T	12
préaviser, T	6
précautionner, T, P	6
précéder, T	10
prêcher, I, T	6
précipiter, T, P	6
préciser, T, P	6
précompter, T	6
préconiser, T	6
prédestiner, T	6
prédéterminer, T	6
prédire, T	78
prédisposer, T	6
prédominer, I	6
préempter, T	6
préétablir, T	19
préexister, I	6
préfacer, T	7
préférer, T	10
préfigurer, T	6
préfixer, T	6
préformer, T	6
préjudicier, I	15
préjuger, de, T	8
prélasser, P	6
prélever, T	9
préluder, I, à	6
préméditer, T	6
prémunir, T, contre, P	19
prendre, I, T, P	54
prénommer, T, P	6
préoccuper, T, P, de	6
préparer, T, P	6
préposer, T	6
présager, T	8
prescrire, I, T, P	80
présenter, I, T, P	6
préserver, T	6
présider, I, à, T	6
pressentir, T	25
presser, I, T, P	6
pressurer, T	6
pressuriser, T	6
présumer, de, T	6
présupposer, T	6
présurer, T	6
prétendre, à, I, T	53
prêter, I, T, P	6
prétexter, T	6
prévaloir, I, P, de	47
prévariquer, I	6
prévenir, T	23
prévoir, T	39
prier, I, T	15
primariser, T	6
primer, I, T	6
priser, I, T	6
privatiser, T	6
priver, T, P	6
privilégier, T	15
procéder, I, à, de	10
processionner, I	6
proclamer, T	6
procréer, T	13
procurer, T, P	6
prodiguer, T	6
produire, I, T, P	82
profaner, T	6
proférer, T	10
professer, I, T	6
profiler, I, T, P	6
profiter, I, à, de	6
programmer, I, T	6
progresser, I	6
prohiber, T	6
projeter, T	11
prolétariser, T	6
proliférer, I	10
prolonger, T, P	8
promener, T, P	9
promettre, I, T, P	56
promouvoir, T	44
promulguer, T	6
prôner, I, T	6
prononcer, I, T, P	7
pronostiquer, T	6
propager, T, P	8
prophétiser, I, T	6
proportionner, T, P	6
proposer, I, T, P	6

propulser, T, P 6
proroger, T 8
proscrire, T 80
prosodier, T 15
prospecter, T 6
prospérer, I 10
prosterner, P...... 6
prostituer, I, P..... 6
protéger, T...... 14
protester, I, de ... 6
prouver, T....... 6
provenir, I, ♦ 23
proverbialiser, T ... 6
provigner, T 6
provoquer, T 6
psalmodier, I, T.... 15
psychanalyser, T .. 6
psychiatriser, I 6
publier, T 15
puer, I, T 6
rares : passé simple
subj. imparfait
et temps composés
puiser, T 6
pulluler, I 6
pulser, T 6
pulvériser, T 6
punir, T 19
purger, T......... 8
purifier, T 15
putréfier, T, P 15
pyramider, I 6
pyrograver, T 6

q

quadriller, T 6
quadrupler, I, T.... 6
qualifier, T, P 15
quantifier, T 15
quarrer, T 6
quartager, T 8
quarter, T 6
quémander, I, T ... 6
quereller, T, P 6
quérir, T .... D
≃ infinitif
aussi querir
questionner, T 6
quêter, I, T 6
queuter, I 6
quintessencier, T .. 15
quintupler, I, T 6
quittancer, T...... 7
quitter, T 6
quotter, I......... 6

r

rabâcher, I, T...... 6
rabaisser, T, P..... 6
rabanter, T 6
rabattre, I, T, P 55
rabibocher, T 6
rabioter, I, T 6
râbler, T.......... 6
rabonnir, I, T...... 19
raboter, T 6
rabougrir, I, T, P ... 19
rabouter, T 6
rabrouer, T 6
raccommoder, T, P 6
raccompagner, T .. 6
raccorder, T, P 6
raccourcir, I, T, P 19
raccoutrer, T...... 6
raccrocher, I, T, P .. 6
racheter, T, P...... 12
raciner, I, T 6
racler, T, P........ 6
racoler, T......... 6
raconter, T, P 6
racornir, T, P...... 19
rader, T 6
radicaliser, T, P.... 6
radier, T.......... 15
radiner, I, P 6
radiobaliser, T 6
radiodiffuser, T.... 6
radiographier, T ... 15
radioguider, T..... 6
radioscoper, T 6
radiotélégraphier, T 15
radoter, I......... 6
radouber, T....... 6
radoucir, I, T, P 19
raffermir, T, P 19
raffiner, I, T 6
raffoler, T, de 6
rafistoler, T 6
rafler, T 6
rafraîchir, I, T, P .. 19
ragaillardir, T 19
rager, I 8
ragoter, I......... 6
ragoûter, T 6
ragrafer, T........ 6
ragréer, T 13
raguer, I, T, P...... 6
raidir, T, P 19
railler, I, T, P 6

Verbe	Modèle
rainer, T	6
raineter, T	11
rainurer, T	6
raire, I	61
raisonner, I, T, P	6
rajeunir, I, ◊, T, P	19
rajouter, T	6
ralentir, I, T, P	19
râler, I	6
ralinguer, T	6
ralléger, I	8
rallier, I, T, P	15
rallonger, I, T, P	8
rallumer, I, T, P	6
ramager, I, T	8
ramailler,	6
ramander, I, T	6
ramarrer, T	6
ramasser, T, P	6
ramastiquer, T	6
ramender, T	6
ramener, T, P	9
ramer, I, T	6
rameuter, T, P	6
ramifier, T, P	15
ramollir, T, P	19
ramoner, T	6
ramper, I	6
rancarder, T	6
rancir, I	19
rançonner, T	6
randonner, I	6
ranger, T, P	8
ranimer, T, P	6
rapapilloter, T	6
rapatrier, T, P	15
râper, T	6
rapetasser, T	6
rapetisser, I, T, P	6
rapiécer, T. c/ç	7
é/è	10
rapiéceter, T	12
rapiner, I, T	6
raplatir, T	19
rapointir, T	19
rappareiller, T	6
rapparier, T	15
rappeler, I, T, P	11
rappliquer, I	6
rapporter, I, T, P	6
rapprocher, T, P	6
raquer, I, T	6
raréfier, T, P	15
raser, T, P	10
rassasier, T, P	15
rassembler, T, P	6
rasseoir, I, T, P	49
rasséréner, T, P	10
rassir,	D
≃ infinitif et p.p. : rassis, e	
rassurer, T, P	6
ratatiner, T, P	6
râteler, T	11
rater, I, T	6
ratiboiser, T	6
ratifier, T	15
ratiner, T	6
ratiociner, I	6
rationaliser, T	6
rationner, T, P	6
ratisser, T	6
rattacher, T, P	6
rattraper, T, P	6
raturer, T	6
raugmenter, I	6
ravager, T	8
ravaler, T, P	6
ravauder, I, T	6
ravigoter, T	6
ravilir, T	19
raviner, T	6
ravir, T	19
raviser, P	6
ravitailler, T, P	6
raviver, T, P	6
ravoir, T	D
≃ infinitif	
rayer, T, P	16
rayonner, I, T	6
razzier, T	15
réabonner, T, P	6
réabsorber, T	6
r(é)accoutumer, T, P	6
réactiver, T	6
réadapter, T, P	6
réadmettre, T	56
réaffirmer, T	6
r(é)affûter, T	6
réagir, I, à	19
r(é)ajuster, T, P	6
réaléser, T	10
réaliser, T, P	6
réamorcer, T	7
réanimer, T	6
réapparaître, I, ◊	64
r(é)apprendre, T	54
r(é)approvisionner, T, P	6
réargenter, T, P	6
réarmer, T, P	6
réarranger, T	8
réassigner, T	6
r(é)assortir, T	19
réassurer, T, P	6
rebaisser, I	6
rebander, T	6
rebaptiser, T	6
rebâtir, T	19
rebattre, T	55
rebeller, P	6
rebiffer, P	6
rebiquer, I, T	6
reblanchir, T	19
reboiser, T	6
rebondir, I	19
reborder, T	6
reboucher, T, P	6
rebouter, T	6

reboutonner, T, P . . 6
rebroder, T 6
rebrousser, I, T 6
rebuter, T, P 6
recacheter, T. 6
recalcifier, T 15
recaler, T. 6
récapituler, T 6
recarder, T 6
recarreler, T 11
recaser, T, P 6
recéder, T 10
receler, I, T, P 12
recéler, I, T, P 10
recenser, T 6
receper, T 9
recéper, T 10
réceptionner, T. . . . 6
recercler, T 6
recevoir, I, T, P . . . 38
rechampir, T. 19
réchampir, T. 19
rechanger, T. 8
rechanter, T 6
rechaper, T. 6
réchapper, I, à, de . . 6
recharger, T 8
rechasser, I, T 6
réchauffer, T, P . . 6
rechausser, T, P . . . 6
rechercher, T. . . . 6
rechigner, I. 6
rechristianiser, T. . . 6
rechuter, I. 6
récidiver, I 6
réciter, T. 6
réclamer, I, T, P . . 6
reclasser, T 6
récliner, I 6
reclouer, I. 6
reclure, ... D
≃ infinitif
et p.p. : reclus, e

recoiffer, T, P 6
récoler, T. 6
recoller, I, T, P. 6
recolorer, T. 6
récolter, T 6
recommander, T, P 6
recommencer, I, T . 7
recomparaître, I . . . 64
récompenser, T, P 6
recomposer, T, P . . 6
recompter, T. 6
réconcilier, T, P. . . . 15
reconduire, T. . . . 82
recondamner, T . . . 6
réconforter, T, P . . . 6
recongeler, T 12
reconnaître, T, P . 64
reconnecter, T 6
reconquérir, T. 24
reconsidérer, T. . . . 10
reconsolider, T. . . . 6
reconstituer, T, P . . 6
reconstruire, T 82
reconvertir, T, P . . . 19
recopier, T 15
recoquiller, T, P . . . 6
recorder, T 6
recorriger, T 8
recoucher, T, P. . . . 6
recoudre, T. 73
recouper, T, P. 6
recourber, T, P 6
recourir, I, à, T. 33
recouvrer, T 6
recouvrir, T, P . . . 27
recracher, T, P. 6
recréer, T. 13
récréer, T, P. 13
recrépir, T 19
recreuser, T. 6
récrier, P 15
récriminer, I 6
recroiser, T 6

recroître, I. 67
recroqueviller, P. . . 6
recruter, T, P 6
rectifier, T 15
recueillir, T, P. . . . 28
recuire, I, T 82
reculer, I, P. 6
récupérer, T 10
récurer, T 6
récuser, T, P 6
recycler, T, P. 6
redécouvrir, T. 27
redéfaire, T 62
redemander, T 6
redémolir, T 19
redescendre, I, ◊, T . 53
redevenir, ♦ 23
redevoir, T 42
rédiger, T 8
rédimer, T, P 6
redire, T 78
rediscuter, T 6
redistribuer, T. 6
redonder, I 6
redonner, I, T 6
redorer, T 6
redoubler, I, de, T . 6
redouter, T. 6
redresser, T, P . . . 6
réduire, T, P, à, en. . 82
r(é)écrire, I, T 80
réédifier, T 15
rééditer, T 6
rééduquer, T. 6
réélire, T 77
réembaucher, T . . . 6
r(é)employer, T . . . 17
r(é)engager, T, P . . 8
réensemencer, T. . . 7
réentendre, T 53
rééquilibrer, T. 6
réer, I. 13
réescompter, T. . . . 6

Verbe	Modèle
remeubler, T	6
remiser, T, P	6
remmailler, T	6
remmailloter, T	6
remmancher, T	6
remmener, T	9
remonter, I, T, P	6
remontrer, en, à, T	6
remordre, T	53
remorquer, T	6
remoucher, T, P	6
remoudre, T	74
remouiller, I, T	6
rempailler, T	6
rempaqueter, T	11
remparer, T	6
rempiéter, T	10
rempiler, I, T	6
remplacer, T	7
remplier, T	15
remplir, T, P	19
remployer, T	17
remplumer, T, P	6
rempocher, T	6
rempoissonner, T	6
remporter, T	6
rempoter, T	6
remprunter, T	6
remuer, I, T, P	6
rémunérer, T	10
renâcler, I, à	6
renaître, I ...... D	65
pas de p.p.!	
renarder, I	6
renauder, I	6
rencaisser, T	6
rencarder, T	6
renchaîner, T	6
renchérir, I	19
rencogner, T, P	6
rencontrer, T, P	6
rendormir, T, P	32
rendosser, T	6
rendre, I, T, P	53
renfaîter, T	6
renfermer, T, P	6
renfiler, T	6
renflammer, T	6
renfler, I, T, P	6
renflouer, T	6
renfoncer, T	7
renforcer, T, P	7
renfrogner, P	6
rengager, T	8
rengainer, T	6
rengorger, P	8
rengracier, I	15
rengrener, T	9
rengréner, T	10
renier, T	15
renifler, I, T	6
renommer, T	6
renoncer, I, à, T	7
renouer, avec, T, P	6
renouveler, T, P	11
rénover, T	6
renquiller, I, T, P	6
renseigner, T, P	6
rentabiliser, T	6
rentamer, T	6
renter, T	6
rentoiler, T	6
rentraire, T	61
rentrer, I, ♦, T	6
rentrouvrir, T	27
renvelopper, T	6
renvenimer, T	6
renverger, T	8
renverser, T, P	6
renvider, T	6
renvier, I, T	15
renvoyer, T, P	18
réoccuper, T	6
réopérer, T	10
réorchestrer, T	6
réordonnancer, T	7
réordonner, T	6
réorganiser, T, P	6
réorienter, T, P	6
repairer, I	6
repaître, T, P	66
répandre, T, P	53
reparaître, I, ♦	64
réparer, T	6
reparler, I	6
repartager, T	8
repartir, I, ♦, T	25
répartir, T, P	19
repasser, I, T, P	6
repatiner, T	6
repaver, T	6
repayer, T	16
repêcher, T	6
repeigner, T, P	6
repeindre, T	57
rependre, T	53
repenser, à, T	6
repentir, P	25
repercer, T	7
répercuter, T, P	6
reperdre, T	53
repérer, T, P	10
répertorier, T	15
répéter, I, T, P	10
repeupler, T, P	6
repincer, T	7
repiquer, à, T	6
replacer, T	7
replanter, T	6
replâtrer, T	6
repleuvoir, il	45
replier, T, P	15
répliquer, I, T	6
replisser, T	6
replonger, I, T, P	8
reployer, T	17
repolir, T	19
répondre, I, T, P	53
reporter, T, P	6

Verbe	N°
reposer, I, T, P	6
repousser, I, T, P	6
reprendre, I, T, P	54
représenter, I, T, P	6
réprimander, T	6
réprimer, T	6
repriser, T	6
reprocher, T, P	6
reproduire, T, P	82
reprographier, T	15
reprouver, T	6
réprouver, T	6
républicaniser, T	6
répudier, T	15
répugner, à, il	6
réputer, T	6
requérir, T	24
requinquer, T, P	6
réquisitionner, T	6
resaler, T	6
resalir, T, P	19
resaluer, T	6
reséquer, T	10
réserver, T, P	6
résider, I	6
résigner, T, P	6
résilier, T	15
résiner, T	6
résinifier, T	15
résister, I, à	6
résonner, I	6
résorber, T, P	6
résoudre, T, P	72
respecter, T, P	6
respirer, I, T	6
resplendir, I	19
resquiller, I, T	6
ressaigner, I, T	6
ressaisir, T, P	19
ressasser, T	6
ressauter, I, T	6
ressembler, à, P	6
ressemeler, T	11
ressemer, T	6
ressentir, T, P, de	25
resserrer, T, P	6
resservir, I, T, P	35
ressortir, I, T, ♦	25
ressortir, à	19
ressouder, T	6
ressourcer, P	7
ressouvenir, P	23
ressuer, I	6
res(s)urgir, I	19
ressusciter, I, ◊, T	6
ressuyer, T	17
restaurer, T, P	6
rester, I, ♦, à	6
restituer, T	6
restreindre, T, P	57
restructurer, T	6
résulter, I, ◊ ≃ 3e personne	D 6
résumer, T, P	6
rétablir, T, P	19
retailler, T	6
rétamer, T	6
retaper, T, P	6
retapisser, T	6
retarder, I, T	6
retâter, T	6
reteindre, T	57
retendre, T	53
retenir, I, T, P	23
retenter, T	6
retentir, I	19
retercer, T	7
reterser, T	6
retirer, T, P	6
retisser, T	6
retomber, I, ♦	6
retondre, T	53
retordre, T	53
rétorquer, T	6
retoucher, à, T	6
retourner, I, ♦, T, P	6
retracer, T	7
rétracter, T, P	6
retraduire, T	82
retraire, T	61
retrancher, T, P	6
retranscrire, T	80
retransmettre, T	56
retravailler, I, T	6
retraverser, T	6
rétrécir, I, T, P	19
rétreindre, T	57
retremper, T	6
rétribuer, T	6
rétroagir, I	19
rétrocéder, T	10
rétrograder, I, T	6
retrousser, T, P	6
retrouver, T, P	6
réunifier, T	15
réunir, T, P	19
réussir, I, T	19
revacciner, T	6
revaloir, T	47
revaloriser, T	6
revancher, P	6
rêvasser, I	6
réveiller, T, P	6
réveillonner, I	6
révéler, T, P	10
revendiquer, T	6
revendre, T	53
revenir, I, ♦, P, en	23
rêver, I, à, de, T	6
réverbérer, T, P	10
reverdir, I, T	19
révérer, T	10
reverser, T	6
revêtir, T	26
revigorer, T	6
revirer, I	6
réviser, T	6
revisser, T	6
revitaliser, T	6

Verbe	
revivifier, T	15
revivre, I, T	76
revoir, T, P	39
révolter, T, P	6
révolutionner, T	6
révolvériser, T	6
révoquer, T	6
revoter, I, T	6
revouloir, T	48
révulser, T	6
rhabiller, T, P	6
rhumer, T	6
ribler, T	6
ribouler, I	6
ricaner, I	6
ricocher, I	6
rider, T, P	6
ridiculiser, T, P	6
riffauder, I, T	6
rifler, T	6
rigoler, I	6
rimailler, I	6
rimer, I, T	6
rincer, T, P	7
ringarder, T	6
ripailler, I	6
riper, I, T	6
ripoliner, T	6
riposter, I, à	6
rire, I, de, P	79
risquer, T, P, à	6
rissoler, I, T	6
ristourner, T	6
rivaliser, I	6
river, T	6
riveter, T	11
rober, T	6
robotiser, T	6
ro(c)quer, I	6
roder, T	6
rôder, I	6
rogner, I, T	6
rognonner, T	6
roidir, T, P	19
romancer, T	7
romaniser, T, P	6
rompre, I, T, P	53
ronchonner, I	6
rondir, T	19
ronflaguer, I	6
ronfler, I	6
ronger, T, P	8
ronronner, I	6
ronsardiser, I	6
roser, T	6
rosir, I, T	19
rosser, T	6
roter, I	6
rôtir, I, T, P	19
roucouler, I, T	6
rouer, I, T	6
rougeoyer, I	17
rougir, I, T	19
rouiller, I, T, P	6
rouir, I, T	19
rouler, I, T, P	6
roulotter, T	6
roupiller, I	6
rouscailler, I	6
rouspéter, I	10
roussir, I, T	19
roustir, T	19
router, T	6
rouvrir, I, T, P	27
rubaner, T	6
rubéfier, T	15
rucher, T	6
rudenter, T	6
rudoyer, T	17
ruer, I, P	6
rugir, I	19
ruiler, T	6
ruiner, T, P	6
ruisseler, I	11
ruminer, T	6
rupiner, I	6
ruser, I	6
russifier, T	15
rustiquer, T	6
rutiler, I	6
rythmer, T	6

S

Verbe	
sabler, I, T	6
sablonner, T	6
saborder, T, P	6
saboter, I, T	6
sabouler, T, P	6
sabrer, T	6
sacagner, T	6
saccader, T	6
saccager, T	8
saccharifier, T	15
sa(c)quer, T	6
sacraliser, T	6
sacrer, T	6
sacrifier, T, P	15
safraner, T	6
saigner, I, T, P	6
saillir, I D ≃ infinitif 3es personnes	29
saillir, T D ≃ infinitif 3es personnes	19
saisir, T, P	19
saisonner, I	6
salarier, I	6
saler, T	6
salir, T, P	19
saliver, I	6
saloper, T	6

Verbe	N°
salpêtrer, T	6
saluer, T, P	6
sanctifier, T	15
sanctionner, T	6
sandwicher, T	6
sangler, T, P	6
sangloter, I	6
sa(n)tonner, T	6
saouler, T, P	6
saper, T, P	6
saponifier, T	15
sarcler, T	6
sasser, T	6
sataner, T	6
satelliser, T	6
satiner, T	6
satiriser, T	6
satisfaire, T, à, P, de	62
saturer, T	6
saucer, T	7
saumurer, T	6
sauner, I	6
saupoudrer, T, de	6
saurer, T	6
saurir, T	19
sauter, I, T	6
sautiller, I	6
sauvegarder, T	6
sauver, T, P	6
savoir, I, T, P	41
savonner, T, P	6
savourer, T	6
scalper, T	6
scandaliser, T, P	6
scander, T	6
scarifier, T	15
sceller, T	6
schématiser, T	6
schlitter, T	6
scier, I, T	15
scinder, T, P	6
scintiller, I	6
sciotter, T	6
scissionner, I	6
scléroser, T, P	6
scolariser, T	6
scotcher, T	6
scratcher, T, P	6
scribouiller, T	6
scruter, T	6
sculpter, T	6
sécher, I, T, P	10
seconder, T	6
secouer, T, P	6
secourir, T	33
sécréter, T	10
sectionner, T	6
séculariser, T	6
sédentariser, T, P	6
séduire, T	82
segmenter, T	6
séjourner, I	6
sélectionner, T	6
seller, T	6
sembler, I, il	6
semer, T	9
semoncer, T	7
sensibiliser, T	6
sentir, I, T, P	25
seoir, I	50
séparer, T, P	6
septupler, I, T	6
séquestrer, T	6
sérancer, T	7
serfouir, T	19
sérialiser, T	6
sérier, T	15
seriner, T	6
seringuer, T	6
sermonner, T	6
serpenter, I	6
serrer, I, T, P	6
sertir, T	19
servir, I, T, P	35
sévir, I, contre	19
sevrer, T	6
sextupler, I, T	6
sexualiser, T	6
shampooingner, T	6
ou shampouiner, T	6
shooter, I, P	6
shunter, T	6
sidérer, T	10
siéger, I	14
siffler, I, T	6
siffloter, I, T	6
signaler, T, P	6
signaliser, T	6
signer, T, P	6
signifier, T	15
silhouetter, T	6
silicatiser, P	6
siliconer, T	6
sillonner, T	6
similiser, T	6
simplifier, T, P	15
simuler, T	6
singer, T	8
singulariser, T, P	6
siniser, T	6
siphonner, T	6
siroter, T	6
situer, T, P	6
skier, I	15
slalomer, I	6
slaviser, T	6
smasher, I	6
smiller, T	6
snober, T	6
socialiser, T	6
socratiser, I	6
sodomiser, T	6
soigner, T, P	6
solariser, T	6
solder, T, P	6
solenniser, T	6
solfier, T	15
solidariser, T, P	6
solidifier, T, P	15

Verbe	
solifluer, I	6
soliloquer, I	6
solliciter, T	6
solmiser, T	6
solubiliser, T	6
solutionner, T	6
somatiser, T	6
sombrer, I, dans	6
sommeiller, I	6
sommer, T	6
somnoler, I	6
sonder, T	6
songer, I, à	8
sonnailler, I, T	6
sonner, I, ◊, T	6
sonoriser, T	6
sophistiquer, T	6
sorguer, I	6
sortir, I, ♦	25
sortir, T, P, de	25
sortir, T D	19
jurisprudence ≃ 3e personne	
soubattre, T	55
soubresauter, I	6
soucheter, T	11
souchever, T	9
soucier, P, de	15
souder, T, P	6
soudoyer, T	17
souffler, I, T	6
souffleter, T	11
souffrir, I, T, P	27
soufrer, T	6
souhaiter, T	6
souiller, T	6
soulager, T, P	8
soûler, T, P	6
soulever, T, P	9
souligner, T	6
soumettre, T, P, à	56
soumissionner, T	6
soupçonner, T	6
souper, I	6
soupeser, T	9
soupirer, I	6
souquer, I, T	6
sourciller, I	6
sourdiner, T	6
sourdre, I	D
≃ sourd, sourdent sourdait, sourdaient et infinitif	
sourire, I, à, de, P	79
sous-alimenter, T	6
souscrire, I, à	80
sous-entendre, T	53
sous-estimer, T	6
sous-évaluer, T	6
sous-exposer, T	6
sous-louer, T	6
sous-tendre, T	53
sous-titrer, T	6
soustraire, I	61
sous-traiter, T	6
soutacher, T	6
soutenir, T, P	23
soutirer, T	6
souvenir, I, il, P	23
spathifier, T	15
spatialiser, T	6
spécialiser, T, P	6
spécifier, T	15
spéculer, I, sur	6
sphacéler, T	10
spiritualiser, T	6
spitter, T	6
splitter, T	6
spolier, T	15
sporuler, I	6
sprinter, I	6
squatter, T	6
stabiliser, T, P	6
staffer, T	6
stagner, I	6
staliniser, T	6
standardiser, T	6
stationner, I, ◊	6
statuer, I, sur, T	6
statufier, T	15
sténographier, T	15
sténotyper, T	6
stéréotyper, T	6
stérer, T	10
stériliser, T	6
stigmatiser, T	6
stimuler, T	6
stipendier, T	15
stipuler, T	6
stocker, T	6
stopper, I, T	6
stranguler, T	6
stratifier, T	15
striduler, I	6
strier, T	15
stripper, T	6
striquer, T	6
structurer, T	6
stupéfaire,	D
≃ stupéfait, e et temps composés	
stupéfier, T	15
stuquer, T	6
styler, T	6
styliser, T	6
subdéléguer, T	10
subdiviser, T	6
subir, T	19
subjuguer, T	6
sublimer, I, T	6
submerger, T	8
subodorer, T	6
subordonner, T	6
suborner, T	6
subroger, T	8
subsister, I	6
substantiver, T	6
substituer, T, P	6
subtiliser, I, T	6

t

taller, I 6
talocher, T 6
talonner, I, T 6
talquer, T 6
tambouriner, I, T . . . 6
tamiser, I, T 6
tamponner, T, P . . . 6
tancer, T 7
tanguer, I 6
tanner, T 6
tan(n)iser, T 6
tapager, I 8
taper, I, T, P 6
tapir, P 19
tapisser, T 6
taponner, T 6
tapoter, I, T 6
taquer, T 6
taquiner, T, P 6
tarabiscoter, T 6
tarabuster, T 6
tarauder, T 6
tarder, I, à, il 6
tarer, T 6
targuer, P 6
tarifer, T 6
tarir, I, T, P 19
tartiner, I, T 6
tartir, I 19
tasser, I, T, P 6
tâter, à, de, y, T, P . . 6
tatillonner, I 6
tâtonner, I 6
tatouer, T 6
taveler, T, P 11
taveller, T 6
taxer, T, de 6
techniciser, T 6
techniser, T 6
technocratiser, T, P 6
t(e)iller, T 6
teindre, T, P 57
teinter, T, P 6

télécommander, T . 6
télécopier, T 15
télégraphier, I, T . 15
téléguider, T 6
télémétrer, I, T 10
téléphoner, I, à, T . 6
télescoper, T, P 6
téléviser, T 6
témoigner, I, T . . . 6
tempérer, T, P 10
tempêter, I 6
temporiser, I 6
tenailler, T 6
tendre, à, vers, T, P . 53
tenir, I, à, de, T, P . . 23
tenonner, T 6
ténoriser, I 6
tenter, I, de, T 6
tercer, T 7
tergiverser, I 6
terminer, T, P 6
ternir, I, T, P 19
terrasser, I, T 6
terreauter, T 6
terrer, I, T, P 6
terrifier, T 15
terrir, I 19
terroriser, T 6
terser, T 6
tester, I, T 6
tétaniser, T 6
téter, I, T 10
texturer, T 6
texturiser, T 6
théâtraliser, I, T 6
thématiser, T 6
théoriser, I, T 6
thésauriser, I, T 6
tictaquer, I 6
tiédir, I, T 19
tiercer, I, T 7
tigrer, T 6
timbrer, T 6

tinter, I, T 6
tintinnabuler, I 6
tiquer, I 6
tirailler, I, T 6
tirebouchonner, T . 6
ou tire-bouchonner, T 6
tirer, I, T, P 6
tiser, T 6
tisonner, I, T 6
tisser, T 6
ti(s)tre, T . . . . D
≃ p.p. tissu, e
et temps composés
titiller, I, T 6
titrer, T 6
tituber, I 6
titulariser, T 6
toaster, I 6
toiler, T 6
toiletter, T 6
toiser, T 6
tolérer, T 10
tomber, I, ♦, T 6
tomer, T 6
tondre, T 53
tonifier, T 15
tonitruer, I 6
tonner, I, il 6
tonsurer, T 6
tontiner, T 6
toper, I 6
topicaliser, T 6
toquer, I, P 6
torcher, T, P 6
torchonner, T 6
tordre, T, P 53
toréer, I 13
toronner, I 6
torpiller, T 6
torréfier, T 15
torsader, T 6
tortiller, I, T, P 6
tortorer, T 6

torturer, T, P 6
totaliser, T........ 6
toucher, I, T, P ... 6
touer, T.......... 6
touiller, T 6
toupiller, I, T...... 6
toupiner, I........ 6
tourber, I......... 6
tourbillonner, I.... 6
tourillonner, I..... 6
tourmenter, T, P . 6
tournailler, I...... 6
tournasser, T 6
tournebouler, T ... 6
tourner, I, ◊, T, P.. 6
tournicoter, T..... 6
tourniller, I....... 6
tourniquer, I...... 6
tournoyer, I 17
toussailler, I...... 6
tousser, I....... 6
toussoter, I....... 6
trabouler, I....... 6
tracaner, I, T...... 6
tracasser, T, P..... 6
tracer, I, T....... 7
tracter, T......... 6
traduire, T, P 82
trafiquer, I, de, T ... 6
trahir, T, P....... 19
traînailler, I, T..... 6
traînasser, I, T..... 6
traîner, I, T, P 6
traire, T......... 61
traiter, I, T, P..... 6
tramer, T, P 6
tranchefiler, T..... 6
trancher, I, T 6
tranquilliser, T, P .. 6
transbahuter, T, P.. 6
transborder, T..... 6
transcender, T 6
transcoder, T 6
transcrire, T 80
transférer, T 10
transfigurer, T..... 6
transfiler, T....... 6
transformer, T, P 6
transfuser, T...... 6
transgresser, T 6
transhumer, T..... 6
transiger, I, avec, sur. 8
transir, T......... 19
transistoriser, T ... 6
transiter, I, T...... 6
translater, T 6
translit(t)érer, T ... 10
transmettre, T, P... 56
transmigrer, I 6
transmuer, T...... 6
transmuter, T 6
transparaître, I 64
transpercer, T..... 7
transpirer, I....... 6
transplanter, T, P .. 6
transporter, T, P. 6
transposer, T 6
transsubstantier, T. 15
transsuder, I, T 6
transvaser, T...... 6
transvider, T 6
traquer, T 6
traumatiser, T..... 6
travailler, I, T, P.... 6
traverser, T 6
travestir, T, P...... 19
trébucher, I, ◊, T... 6
tréfiler, T......... 6
tréfondre, I....... 53
treillager, T....... 8
treillisser, T....... 6
trémater, I........ 6
trembler, I...... 6
trembloter, I...... 6
trémousser, P..... 6
tremper, I, T, P... 6
trémuler, I, T...... 6
trépaner, T 6
trépasser, I, ◊ 6
trépider, I 6
trépigner, I, T 6
tressaillir, I 29
tressauter, I 6
tresser, T......... 6
treuiller, T........ 6
trévirer, T 6
trianguler, T 6
triballer, T........ 6
tricher, I, à, sur..... 6
tricoter, I, T....... 6
trier, T.......... 15
trifouiller, I, T 6
triller, I 6
trimarder, I 6
trimbal(l)er, T, P... 6
trimer, I.......... 6
tringler, T 6
trinquer, T........ 6
triompher, I, de.... 6
tripatouiller, T..... 6
tripler, I, T........ 6
tripoter, I, T....... 6
triquer, T......... 6
triséquer, T 10
trisser, I, T, P...... 6
triturer, T......... 6
tromper, T, P 6
trompeter, I, T..... 11
tronçonner, T 6
trôner, I.......... 6
tronquer, T 6
tropicaliser, T..... 6
troquer, T 6
trotter, I, P........ 6
trottiner, I........ 6
troubler, T, P 6
trouer, T, P 6
troussequiner, T... 6
trousser, I, T, P 6

trouver, T, P 6
truander, I, T...... 6
trucider, T........ 6
truffer, T 6
truquer, I, T....... 6
trusquiner, T...... 6
truster, T......... 6
tuber, T.......... 6
tuberculiner, T 6
tuberculiniser, T... 6
tuberculiser, T 6
tuer, T, P 6
tuiler, T.......... 6
tuméfier, T, P 15
turbiner, I, T 6
turlupiner, T...... 6
tuteurer, T........ 6
tutoyer, T, P 17
tuyauter, T 6
twister, I......... 6
tympaniser, T..... 6
typer, T.......... 6
typiser, T......... 6
tyranniser, T...... 6

u

ulcérer, T, P....... 10
ululer, I.......... 6
unifier, T, P....... 15
unir, T, P 19
universaliser, T, P.. 6
urbaniser, T, P 6
urger, I, $\simeq 3^e$ pers... 8
uriner, I......... 6
user, I, T, de, P.... 6
usiner, I, T........ 6
usurper, T........ 6
utiliser, T......... 6

v

vacciner, T 6
vaciller, I......... 6
vadrouiller, I, P.... 6
vagabonder, I..... 6
vagir, I.......... 19
vaguer, I......... 6
vaincre, I, T, P.... 60
vaironner, I....... 6
valdinguer, I...... 6
valeter, I 11
valider, T......... 6
valiser, I, T 6
vallonner, P 6
valoir, I, T, P 47
valoriser, T 6
valouser, T 6
valser, I, T........ 6
vamper, T 6
vanner, T......... 6
vanter, T, P 6
vaporiser, T....... 6
vaquer, I, à 6
varapper, I 6
varier, I, T 15
varloper, T 6
vaseliner, T....... 6
vaser, il......... 6
vasouiller, I....... 6
vassaliser, T 6
vaticiner, I 6
vautrer, P 6
végéter, I 10
véhiculer, T....... 6
veiller, I, à, T 6
veiner, T 6
vélariser, T 6
vêler, I........... 6
velouter, T 6
vendanger, I, T.... 8
vendre, T, P...... 53
vénérer, T 10
venger, T, P...... 8
venir, I, ♦, P, en.... 23
venter, il 6
ventiler, T........ 6
ventouser, T...... 6
verbaliser, I, T..... 6
verbiager, I....... 8
verdir, I, T 19
verdoyer, I 17
verduniser, T 6
verglacer, il....... 7
vérifier, T, P 15
verjuter, T........ 6
vermiculer, I...... 6
vermiller, I 6
vermillonner, T.... 6
vermouler, P...... 6
vernir, T 19
vernisser, T....... 6
verrouiller, T, P.... 6
verser, I, T, P..... 6
versifier, I, T 15
vesser, I 6
vétiller, I 6
vêtir, T, P........ 26
vexer, T, P........ 6
viabiliser, T....... 6
viander, I, P....... 6
vibrer, I, T 6
vibrionner, I 6
vicier, T.......... 15
vidanger, T 8
vider, T, P 6
vidimer, T 6
vieillir, I, ◊, T, P... 19
vieller, I.......... 6
vilipender, T 6
villégiaturer, I..... 6

vinaigrer, T 6
viner, T 6
vinifier, T. 15
violacer, T, P. 7
violenter, T 6
violer, T. 6
violoner, I 6
vioquir, I 19
virer, I, T 6
virevolter, I 6
virguler, T 6
viriliser, T 6
viroler, T 6
viser, I, à, T 6
visionner, T. 6
visiter, T 6
visser, T. 6
visualiser, T 6
vitrer, T 6
vitrifier, T 15
vitrioler, T 6
vitupérer, contre, T. . 10
vivifier, T. 15
vivoter, I 6
vivre, I, T 76
vocaliser, I, T 6
vociférer, I, T. 10
voguer, I 6
voiler, T, P. 6
voir, I, T, P 39
voisiner, I 6
voiturer, T. 6
volatiliser, T, P 6
volcaniser, T. 6
voler, I, T 6
voleter, I 11
voliger, T. 8
volter, I 6
voltiger, I 8
vomir, T. 19
voter, I, T. 6
vouer, T, à, P, à 6
vouloir, I, T, en, de, P 48
vousoyer, T, P. 17
voussoyer, T, P. . . . 17
voûter, T, P 6
vouvoyer, T, P. 17
voyager, I 8
vriller, I, T 6
vrombir, I 19
vulcaniser, T. 6
vulgariser, T 6

W

warranter, T 6

Z

zébrer, T 10
zester, T 6
zézayer, I, T. 16
ziber, T 6
zigouiller, T. 6
ziguer, T 6
zigzaguer, I. 6
zinguer, T 6
zinzinuler, I. 6
zoner 6
zozoter, I. 6

Achevé d'imprimer sur les presses de Maury-Imprimeur S.A. – 45330 Malesherbes
Dépôt légal 8482 – Janvier 1991
Imprimé en France